NOTES SUR LE RIRE

ŒUVRES DE MARCEL PAGNOL

Dans cette collection :

Les films de Marcel Pagnol sont disponibles en vidéo-cassettes éditées par la Compagnie Méditerranéenne de Films.

MARCEL PAGNOL
de l'Académie française

NOTES SUR LE RIRE

suivi de

CRITIQUE
DES CRITIQUES

et de

DISCOURS À L'ACADÉMIE FRANÇAISE

FORTUNIO

Editions de Fallois

Photographie de la couverture :
Marcel Pagnol

© Marcel Pagnol, 1990.

ISBN : 2 - 87706 - 068 - 3
ISSN : 0989 - 3512

ÉDITIONS DE FALLOIS, 22, rue La Boétie, 75008 Paris.

NOTES
SUR LE RIRE

1.

APRÈS tant de philosophes et de moralistes, il est bien téméraire d'écrire un livret, si court soit-il, à propos du rire.

Cependant, il faut bien reconnaître que tous les essais sur le rire ne nous ont proposé qu'une longue série d'histoires drôles, ou des recueils de mots comiques, suivis d'explications démonstratives. Par malheur, chaque auteur nous offre autant d'explications différentes que d'histoires, autant de démonstrations divergentes que de bons mots, et les philosophes finissent tous par avouer, comme le grand Bergson : « Nous n'avons pas visé à enfermer les effets comiques dans une formule très large et très simple... », ou, comme l'excellent philosophe Ribot : « Le rire se produit dans des conditions si hétérogènes et si multiples que la réduction de toutes ces causes à une seule est bien problématique. »

Or le rire est un phénomène toujours semblable à lui-même, tout au moins dans sa manifestation principale, la contraction plus ou moins violente du grand zygomatique, accompagnée d'une sorte de spasme des voies respiratoires.

Il nous a semblé qu'il n'était pas impossible de l' « enfermer dans une formule très large et très simple », qui en donnât une explication unique, valable pour tous les rires, dans tous les temps et tous les pays.

C'est cette formule que nous avons recherchée, que nous espérons avoir trouvée, et que nous allons soumettre au lecteur.

Le lecteur le plus indulgent va sans doute hausser les épaules et rire de notre vanité. Il dira : « Là où les maîtres ont échoué, avez-vous la prétention de réussir ? »

C'est pourquoi je citerai ici un proverbe américain. Je l'entendis, un jour, de la bouche d'un accessoiriste de cinéma, qui nous arrivait de Hollywood. « Tous les savants savaient que c'était impossible. Un jour, un ignorant l'a fait. »

C'est cette valeur particulière accordée en certains cas à l'ignorance qui nous a donné l'audace d'écrire ce petit livre.

2.

TOUTEFOIS, et malgré l'aveu de leur impuissance à nous donner la formule du rire, plusieurs philosophes nous ont proposé des explications qui ressemblent à des formules.

Lucien Fabre, dans un ouvrage fort remarquable (*Le Rire et les rieurs,* Gallimard, 1929), nous dit ceci :

« La théorie de Bergson peut se réduire en somme à ceci : est comique tout ce qui nous donne, d'une part, l'illusion de la vie; d'autre part, l'illusion d'un arrangement mécanique.

« La théorie de Mélinand est plus générale : est comique tout ce qui peut se ranger, d'une part, dans l'absurde; d'autre part, dans une catégorie familière.

« La nôtre, enfin, est encore plus générale; est comique tout ce qui peut, d'une part, créer un désarroi; d'autre part, résoudre brusquement et heureusement ce désarroi. La théorie de Bergson se borne à donner, sans s'en rendre compte, les éléments d'une variété de ce désarroi dont elle n'a pas soupçonné l'existence. La théorie de Mélinand se borne à donner, dans les mêmes conditions, une variété des procédés de résolution de ce désarroi. »

Il est certain que ces formules, dues à des penseurs de grande valeur, sont le résultat de longues et patientes recherches, et qu'elles peuvent expliquer certains cas particuliers du rire. Toutefois, nous nous permettrons de critiquer ici non point la méthode ou la théorie, mais le sens même de ces recherches, et le but que ces philosophes semblent s'être proposé : à savoir, la découverte, dans la nature, des sources du comique.

En effet, dire : « Est comique tout acte... etc. », c'est dire qu'il existe des sources de comique, comme il existe des sources d'électricité; c'est affirmer qu'il y a dans certaines formes, dans certains mouvements, dans certains caractères, quelques « ergs » de la fameuse *vis comica,* qui attendent les passants pour leur sauter au zygomatique.

Cette idée nous paraît non seulement discutable, mais parfaitement insoutenable : il n'existe pas de comique en soi, et toujours semblable à lui-même. Aucun geste, aucun acte ne peut être qualifié de « comique ».

Un petit garçon de trois ans pousse des cris affreux. Il s'est enfoncé dans le nez une épingle de nourrice. Personne ne rit, et c'est d'une voix altérée que son père téléphone au médecin.

Si le même accident arrivait à un chanoine, ou à un conseiller à la cour, les premiers informés commenceraient par rire d'un malheur aussi singulier.

Un très vieux chiffonnier, à demi gâteux, en fouillant dans une poubelle, ne peut maîtriser un bruit déplaisant. Cet incident n'est que faiblement comique. Mais si cette mésaventure surprend un haut personnage, en grand uniforme, dans le silence d'une cérémonie solennelle, l'effet de fou rire sera aussi brutal que violent.

D'autre part, n'importe quel événement, de quelque nature qu'il soit, peut faire rire quelqu'un.

Ainsi, la vue d'un homme que l'on vient de pendre, avec cette longue langue baveuse qui jaillit d'une bouche bleue, n'a rien de comique. Cependant, s'il s'agit d'un bourreau sadique, exécuté devant ses victimes, les derniers soubresauts de son agonie seront salués par de grands et violents éclats de rire.

Il serait facile de multiplier les exemples de cette sorte. Nous allons donc proposer au lecteur une conclusion d'une importance capitale.

Il n'y a pas de sources du comique dans la nature : la source du comique est dans le rieur.

Ainsi, nous ne chercherons pas à répondre à la question posée par nos maîtres : « De quoi rions-nous ? »

Il nous semble beaucoup plus important de résoudre celle-ci : « Pourquoi rions-nous ? »

Une seule réponse à la seconde question contiendra toutes les réponses à la première.

3.

AVANT de chercher la solution du problème, essayons de réunir toutes les notions certaines que nous possédons, non pas à propos du comique, mais à propos du rire lui-même.

Nous savons que ses manifestations provoquent un désordre plus ou moins grand dans l'attitude, les gestes et les traits. Lorsque le rire va jusqu'au fou rire, il s'agit en effet d'une véritable folie physique, d'un orage de réflexes qui s'ajoutent ou se contrarient, et le rieur, qui ne se gouverne plus, en arrive à des spasmes douloureux.

La description rigoureusement scientifique qu'en a faite Lucien Fabre nous semble définitive, et nous y renvoyons le lecteur.

Enregistrons ensuite une vérité, admise jusqu'ici par tous les philosophes : *Il n'y a que les hommes qui rient*.

C'est Rabelais qui l'exprima le plus clairement par son vers célèbre : « Pour ce que rire est le propre de l'homme ».

Nous essaierons de démontrer plus loin que cette vérité n'est pas aussi absolue qu'elle le paraît; nous admettrons que l'homme, de tous les animaux, est sans doute celui qui rit le plus facilement et le plus souvent et nous expliquerons pourquoi. Mais nous essaierons de prouver ensuite l'existence du rire – sous d'autres formes physiologiques – chez les animaux.

Voici maintenant une autre vérité qui est la grande découverte de Bergson, et la marque de son génie : l'homme ne rit que de l'homme, ou d'un animal qui voudrait ressembler à un homme, ou d'un objet qui a une forme humaine.

Celle-là nous paraît inébranlable, il nous semble inutile d'en faire ici la démonstration : celle de Bergson est définitive.

Telles sont les deux grandes vérités qui nous paraissent incontestables. Mais avant d'exposer notre thèse, qu'il nous soit permis de discuter une idée extrêmement répandue, et qui nous paraît être une erreur.

Un grand nombre d'auteurs – et des meilleurs – ont affirmé que l'homme rit quand il est surpris, et des conversations nombreuses nous ont prouvé que nos contemporains partageaient presque tous cette opinion.

Il faut donc raconter ici deux petites histoires.

Histoire du préfet et du boucher

Voici, sur un trottoir ombragé de platanes, monsieur le préfet. Il est en civil, il se promène incognito.

Sans être de ses amis, je le connais assez bien.

C'est un parfait honnête homme, qui fut décoré sur le champ de bataille. Un peu dur avec les autres, plus dur encore envers lui-même. Un peu prétentieux aussi : mais prétention justifiée par sa réussite exceptionnelle, due à son seul mérite qui est grand.

Monsieur le préfet marche lentement, le menton légèrement relevé, l'air pensif : il réfléchit aux incidences des trente-sept nouveaux décrets de la semaine.

Tout à coup, son costume attire mon attention. Il me semble l'avoir déjà vu quelque part. C'est un prince-de-galles gris bleu, à très petites lignes rouges, un chapeau de Panama, et des bottines en daim marron sur des semelles d'une surprenante épaisseur.

Où donc ai-je vu cet ensemble si particulier? J'y suis! C'est à peu de chose près le costume de Gaëtano Stromboli, ce don juan de quarante ans, qui est, au su de tout le monde, l'amant très intéressé de la belle bouchère.

Pourquoi monsieur le préfet a-t-il mis un tel costume? Parce qu'il s'habille – sans le savoir – chez le même tailleur que l'élégant Stromboli. Parce qu'il a cinquante ans et qu'il veut « faire jeune ». D'ailleurs, porté par le préfet, ce costume est vraiment chic, avec une très légère pointe de fantaisie. Enfin j'ai grand besoin que monsieur le préfet soit vêtu ce jour-là comme l'amant de la belle bouchère. Ne posez pas tant de questions à un auteur qui fabrique un exemple décisif. Si nous étions au théâtre, vous m'accorderiez bien davantage.

Derrière lui, au loin, voici le boucher qui s'avance. C'est un vrai boucher : sanguin, sanguinaire, sanglant. Il a son tablier de boucher, son gilet de

14

boucher, sa nuque de boucher. Il regarde devant lui, il voit le dos de monsieur le préfet; il se met à courir vers lui.

Monsieur le préfet n'a rien vu. Il marche toujours à pas lents, il hume l'air du soir et met un peu d'ordre dans ses idées.

Il y a cette affaire de fausses cartes de pain. Il y a cette histoire des fraudes électorales. Il y a cette grève des ouvriers coiffeurs, qui ne veulent pas être payés à la coupe, mais au poids des cheveux coupés.

Il réfléchit, il essaie de prendre des décisions raisonnables.

Le boucher court toujours, il s'approche...

C'est parce qu'il a connu son malheur conjugal la semaine dernière, par les soins de son ami Ferdinand, le mercier-regrattier. Le boucher a dit solennellement : « Si jamais je rencontre Gaëtano Stromboli, je lui botterai si bien les fesses qu'il en aura pour dix mille francs de dentiste. »

Le boucher arrive à trois mètres du préfet, s'arrête, respire profondément, tire la langue parce qu'il s'applique, et donne à monsieur le préfet un énorme coup de pied au cul.

Monsieur le préfet fait un saut et trois pas, et se retourne, blême de honte et de rage.

Le boucher voit alors le visage de monsieur le préfet, le reconnaît, devient tout rouge et balbutie; il est consterné, il est prêt à pleurer de chagrin; à genoux sur le trottoir, il ramasse deux dents – en porcelaine – de monsieur le préfet.

Qui est-ce qui a été projeté au comble de la surprise?

C'est monsieur le préfet, et c'est aussi le boucher.

Qui est-ce qui ne rit pas du tout? C'est monsieur le préfet, et c'est aussi le boucher.

Car notre surprise ne nous fait jamais rire.

Mais dans cette aventure préfectorale, qui est-ce qui a ri? Moi, qui ai vu venir le boucher; moi, qui connaissais toute l'histoire, moi qui ai vu partir le prodigieux coup de pied.

Je n'ai pas été surpris, et pourtant je ris de tout cœur, ainsi qu'une dizaine de badauds. Nous rions de quoi?

De la surprise des deux acteurs de cette courte comédie. Il est donc vrai que la surprise nous fait rire, mais *c'est la surprise des autres.*

Cela n'est pour le moment qu'une constatation.

Notre théorie du rire essaiera tout à l'heure de vous expliquer *pourquoi.*

Histoire de l'oignon d'Espagne

Au temps de ma jeunesse – c'était hier, malgré tant de calendriers – j'habitais un petit appartement de deux pièces au boulevard Murat. Je dis deux pièces, parce qu'il y avait une cloison qui traversait – sans l'agrandir – cet espace vital. La première pièce était comblée par une armoire, la seconde contenait mon lit, que les murs serraient de près. Le sommier de ce lit n'était pas neuf. De temps à autre, un ressort se détendait avec la vivacité surprenante d'un piège à rats, mais avec le son grave et prenant d'une pendule de campagne.

Je vivais là avec un singe que m'avait donné

l'adorable Spinelly. Sa taille était proportionnée à l'appartement.

C'était un ouistiti qui pesait cent vingt grammes; je le portais souvent dans ma poche; il n'en sortait que sa petite tête à favoris blancs. Avec des grincements aigus de serrurier, il insultait tous les passants, et de temps à autre, je devais le serrer de ma puissante main, parce qu'il voulait attaquer les chevaux, d'énormes percherons qui traînaient des chars emplis de glace, et qui auraient enfoncé les pavés si chacun de leurs sabots n'en avait pas couvert quatre.

Ce singe hippophobe fut en quelque sorte mon collaborateur pour *Topaze* et pour *Marius*; il m'entendait lire mes scènes à haute voix; il venait tirer ma plume pendant que j'écrivais, parce que ce grattement l'énervait. C'est à lui le premier que j'ai appris la réception de *Topaze* aux Variétés, en ajoutant quelques appréciations flatteuses pour son maître. Ce n'étaient d'ailleurs que des litotes, qui sont la forme modeste du dithyrambe.

Je sais aujourd'hui que j'étais très pauvre, mais j'étais bien loin de m'en douter : j'avais des amis qu'aucun milliardaire n'aurait pu avoir : Marcel Achard, Charles Boyer, Henri Jeanson, Pierre Blanchar, Steve Passeur, Jacques Théry, Bernard Zimmer, Louis Jouvet, et quelques autres; fortune merveilleuse, et qui me comble encore aujourd'hui : ces hommes, l'honneur de notre art dramatique, n'avaient pour moi que des prénoms.

J'écrivais à ce moment-là, en même temps, *Topaze* et *Marius*, car, par une maladie de l'esprit, il me faut écrire deux œuvres à la fois.

Il m'arrivait de ne pas franchir mon seuil – quoiqu'il ne fallût que cinq pas depuis mon lit – pendant plus d'une semaine.

Après ces périodes de travail fiévreux et joyeux, il m'arrivait aussi de quitter ma table et de partir comme les hirondelles d'automne, avec Jacques, Steve ou Marcel. Nous allions dîner chez un ami, ou chez des comédiennes célèbres. En général, nous partions pour plusieurs jours sans l'avoir prévu. Parfois, je passais la nuit auprès du lit d'un camarade qui voulait se suicider : nous lui arrachions des mains le revolver, le poignard ou le poison; nous le consolions par des syllogismes, ou des injures. D'autres fois, des raisons moins nobles mais plus charmantes, me retenaient loin du logis.

Je dois avouer honnêtement qu'au cours de ces sorties nous buvions de l'alcool comme à l'abreuvoir.

Enfin, je finissais par rentrer une nuit, la tête pleine de cloches et le pas incertain, toussant pour racler ma gorge, mais porté par un monologue intérieur qui ne signifiait absolument rien.

Le concierge, qui s'appelait monsieur Lelièvre, et qui ne dormait jamais, sortait de l'énorme casquette en ciment qui lui servait de logis, et me disait avec un fort accent toulousain :

« Je crois que vous avez pris froid; il serait imprudent de ne pas boire quelque chose. » Impudemment, je buvais avec lui « pour me réchauffer ». Il m'offrait, avec une véritable amitié, des « gnoles » de Tarbes ou de Rodez qu'on avait dû mettre en bouteilles parce qu'elles mangeaient le bois des tonneaux.

Après ces libations suprêmes, je tombais sur mon sommier désorganisé qui, sous le choc, sonnait quatre heures, sévèrement.

Tout ceci n'est qu'un préambule. Il est bien long. Mais, pour qu'une histoire soit probante, on doit recréer l'atmosphère. Ce n'est pas facile : il faut beaucoup de mots et de lettres pour fixer la réalité... J'arrive enfin à mon histoire.

Un matin, au milieu de l'hiver, j'étais sorti vers onze heures dans ce beau quartier de la porte de Saint-Cloud. On n'y voyait pas encore ces étranges fontaines en pierre de bougie, qui ne désaltèrent personne, et qui attristent tout le monde.

J'allais acheter des cigarettes (américaines à six francs soixante), des plumes, de l'encre, et des cahiers d'écolier.

Près de la Brasserie de Versailles, sur la place du Marché, il y avait un homme qui roulait en l'air les tentes des marchandes. Et comme il n'était pas assez grand, il portait, attachés sous ses chaussures, de crépitants petits bancs, comme une Chinoise aux grands pieds.

J'admirais un instant ce spectacle, lorsque je découvris tout à coup la vitrine de l'épicerie italienne.

On y exposait des flacons de chianti dont la panse, qui ne contenait que deux litres, était surmontée d'un goulot de 1 m 50, qui contenait au moins autant. On eût dit des thermomètres pour un hôpital de géants. Comme je m'approchais pour contempler ces merveilles, je vis tout à coup, au beau milieu de l'étalage, posé sur un coussin, un oignon.

Ce n'était pas un oignon de tulipe, ni l'un de ces fondants petits oignons qui aiment à se cacher dans les petits pois au lard. Non. C'était un oignon en forme d'oignon, qui avait la couleur des oignons, mais qui était aussi gros que ma tête.

J'en fus choqué, stupéfait, ravi. J'entrai dans la boutique à la porte sonnante, et la marchande italienne me dit : « C'est un oignon d'Espagne ».

Pourquoi cette italienne légumière vendait-elle des oignons d'Espagne?

Je ne m'attardai pas à éclaircir ce mystère international.

– Ça coûte combien?

– Six francs.

Le prix était énorme, mais bien rapetissé par la grandeur solennelle de ce bulbe espagnol.

Je donnai mes six francs. Elle voulut rouler ma prise dans un journal. Je fus forcé, par décence, de la laisser faire.

Tout en rabattant des plis, elle disait, en roucoulant les r :

– Vous le coupez en deux par le milieu, et puis vous en sortez trente petits bateaux très épais. Vous les remplissez de hachis, et vous faites cuire au four trente-cinq minutes. Vous m'en direz des nouvelles!

Elle en avait la bouche humide, et le regard fondant.

J'emportai jalousement ce monstre. Dans ma chambre – qui me parut encore plus petite – j'arrachai les papiers ridicules qui l'enveloppaient, et je me mis à rêver au bonheur de l'humanité, par la culture intensive de ce légume prodigieux. Je raisonnais avec une rigueur qui me paraissait scientifique, et je disais ceci :

– Cet oignon pèse deux kilos. Or il n'a pas coûté plus de travail ni plus de soin que les oignons rabougris cultivés en France et qui pèsent, en général, cent grammes.

Le rendement d'un paysan sera donc multiplié par vingt. Or, comme notre production d'oignons semble couvrir nos besoins, le vaillant paysan français n'aura qu'à travailler vingt fois moins, c'est-à-dire une demi-heure par jour. Il aura donc des loisirs pour s'instruire, et remplir, enfin, le programme de notre immortelle révolution de 1789.

De plus, le diamètre de cet oignon est de vingt centimètres. Il suffira de semer les graines à quinze centimètres les unes des autres. En approchant de la maturité, les oignons se toucheront; en continuant leur croissance, ils se presseront les uns contre les autres, avec la force bien connue des jeunes végétaux, et ils deviendront carrés, comme des pavés. Peu à peu, une voûte d'oignons sortira de terre, et l'honnête paysan verra avec stupeur, à la place de son champ, une sorte de hangar d'aviation fait avec des millions d'oignons : la récolte sera toute faite.

J'étais en train de dresser un plan d'ensemble pour la « culture en France de l'oignon d'Espagne », lorsque, à travers ma fenêtre, je vis s'avancer Marcel Achard et Pasquali.

Ils étaient vêtus comme des snobs; Pasquali avait une orchidée à la boutonnière, Marcel Achard portait une canne de jonc.

Je ne sais plus où nous allâmes, mais nous y restâmes cinq ou six jours.

Je regagnai mon domicile par une nuit triste de février. Il faisait froid et j'avais très chaud. Ce fut d'un pas mal assuré que tout le long de l'avenue de Versailles, je traversai les déserts de l'aube.

Chez moi je ne pus trouver le commutateur, et dans la nuit la plus profonde je m'endormis en me déshabillant.

Vers midi, tous rideaux fermés, je m'éveillai. Non pas de ce réveil joyeux du célibataire qui bondit sur son parquet et fait de la culture physique en chantant à pleine voix. Non. Ce fut un réveil trouble, assez semblable à celui des opérés, un réveil désorienté, dans la nuit.

Ma main, mieux lucide que moi, trouva la poire des lampes de chevet. La lumière fut.

Au-dessus de mon lit, *je vis un* ARBRE.

Oui, un arbre vert, avec des rameaux verts chargés de feuilles vertes, qui pendaient à toucher mon front. Au milieu de ces frondaisons, mon petit singe, pendu par une seule main, gloussait et grinçait, et me montrait ses dents.

Je frottai mes yeux de mes poings fermés et je regardai de nouveau. C'était un ARBRE, qui sortait du pied de mon lit. Je fus grandement surpris, mais, au lieu d'éclater de rire, je fus glacé par une peur affreuse.

Je pensai au *delirium tremens,* aux hallucinations des hystériques, aux visions des aliénés. D'un bond, j'atteignis ma fenêtre, et j'en fis claquer les volets.

A la chère lumière du jour, l'arbre nocturne résista. Je m'approchai, perplexe, à demi rassuré par les cris des enfants qui jouaient dans la cour, et je vis, dans une cuvette, l'oignon d'Espagne : ce n'était plus qu'une peau flasque, mais trouée de blanches racines, parce qu'il avait lancé jusqu'au plafond, avec son enthousiasme espagnol, toute cette vie végétale dont il cachait, dans sa panse, le svelte et verdoyant secret.

J'appris le lendemain que la femme de ménage avait trouvé l'oignon bourdonnant sur ma table. Emoustillé par le chauffage central, ce bulbe généreux avait poussé, en quelques heures, une épaisse et juteuse feuille verte. La femme de ménage, qui aimait les fleurs, et qui avait cru à quelque tulipe géante, avait placé le parturient dans une cuvette d'eau tiède, tout près du radiateur, au pied de mon lit.

Ce petit événement, qui m'avait d'abord frappé de stupeur, puis de crainte, me fit rire ensuite.

Pourquoi? Nous essaierons de l'expliquer tout à l'heure.

4.

EN arrivant à ce chapitre, où il nous faut construire une théorie du rire, nous voici bien embarrassé.

Habitué à faire parler des personnages, mais inexpert dans l'art d'écrire, nous avons hésité longtemps entre les deux façons d'exposer clairement et complètement une thèse.

La première prendrait mille exemples, mille faits de la vie courante, et tenterait ensuite de les éclairer et de les unifier par une loi.

C'est une méthode subtile qui prépare l'adhésion du lecteur, et qui le conduit, comme par la main, vers une conclusion préméditée par son guide. C'est la méthode de Socrate, la maïeutique.

Nous l'avons employée dans une version de ce livret. Le résultat ne nous a pas satisfait : il est bien difficile d'imiter Socrate.

Nous avons donc adopté la seconde méthode, celle d'Euclide.

Il est facile d'imiter les hommes de science. Leurs découvertes sont transmissibles, celles des artistes ne le sont pas. La contemplation prolongée de la

Joconde ne nous donne pas le talent de Vinci. Mais, si un savant de génie invente la poudre et qu'il en donne la formule, tous les imbéciles en font : ils nous l'ont bien prouvé, et ce n'est pas fini.

C'est pourquoi, reculant devant la manière du philosophe, nous nous sommes réfugié auprès du géomètre, dont le génie contagieux, qui mesure la terre, nous apprend à la mesurer.

Nous allons donc tout d'abord exposer la loi du rire, comme si nous l'avions reçue sur le mont Sinaï.

Nous essaierons ensuite de prouver que tous les faits et tous les exemples possibles démontrent l'exactitude rigoureuse de cette loi, et qu'elle explique tous les éclats de rire, dans tous les temps et tous les pays.

L'avantage de ce procédé, c'est qu'il nous dispense d'un grand effort, qui aurait eu pour but de classer les manifestations du rire.

Or, le lecteur verra que toutes les démonstrations particulières que nous allons lui proposer convergent vers un but central : elles veulent prouver l'exactitude de la loi. On ne peut classer ni ranger par catégories les rayons d'une circonférence.

Nous espérons que l'ingéniosité de cette comparaison nous méritera l'indulgence du lecteur, et qu'il nous permettra de lui présenter, dans un désordre assez peu philosophique, nos arguments et nos observations.

Voici notre définition du rire :

1. Le rire est un chant de triomphe; c'est l'expression d'une supériorité momentanée, mais brusquement découverte du rieur sur le moqué.

2. Il y a deux sortes de rires, aussi éloignées l'une de l'autre, mais aussi parfaitement solidaires que les deux pôles de notre planète.

3. Le premier, c'est le vrai rire, le rire sain, tonique, reposant :
Je ris parce que je me sens supérieur à toi (ou à lui, ou au monde entier, ou à moi-même).
Nous l'appelons rire positif.

4. Le second est dur, et presque triste :
Je ris parce que tu es inférieur à moi. Je ne ris pas de ma supériorité, je ris de ton infériorité.
C'est le rire négatif, le rire du mépris, le rire de la vengeance, de la vendetta, ou, tout au moins, de la revanche.

5. Entre ces deux sortes de rires, nous rencontrons toutes sortes de nuances.
Et sur l'équateur, à égale distance de ces deux pôles, nous trouverons le rire complet, constitué par l'association des deux rires.
Quand l'armée Leclerc a repris Paris, nous avons ri avec des larmes de joie, parce que la France était délivrée et reprenait sa place dans le monde; et nous avons ri âprement, parce que l'oppresseur était chassé, piétiné, écrasé. Ce fut un rire complet, un rire de tout le corps et de toute l'âme; ce fut, dans toute sa force, le rire de l'homme.

5.

IL nous faut maintenant fournir des preuves, et non point des assertions.

Il semble que nous puissions en trouver un certain nombre dans la langue française elle-même : car le langage contient de grandes vérités scientifiques et philosophiques, si l'on se donne la peine de l'examiner, d'extraire les racines des mots, de démontrer les phrases toutes faites.

Il y a des expressions populaires qui semblent n'être que de simples métaphores poétiques. Un jour, la science moderne lit sous son microscope leur sens véritable, et l'on découvre que le vieil assemblage de mots, poli par un trop long usage, contenait une vérité cachée, et qu'il était la traduction d'un secret de la nature, c'est-à-dire d'une loi.

Ce sont là, peut-être, des découvertes intuitives des hommes d'autrefois : mais il est plus probable encore que, comme les îles Aléoutiennes prouvent l'existence d'un Himalaya disparu, les vérités accrochées aux filets du langage témoignent d'une Atlantide intellectuelle.

Essayons de traduire quelques expressions qui concernent le rire.

Voici d'abord un dicton : « Rira bien qui rira le dernier. »

Il signifie très exactement : « Triomphera valablement celui qui triomphera le dernier. » C'est une allusion au « dernier quart d'heure » des Japonais.

« Il a mis les rieurs de son côté. »

Il a fait rire de son adversaire, c'est-à-dire il l'a mis en état d'infériorité, il a gagné la partie.

« Il faut se hâter de rire de tout, afin de ne pas en pleurer. »

Il faut se hâter de se croire supérieur à tout, afin de ne pas devenir inférieur à tout.

Un soldat raconte qu'il a passé deux jours et deux nuits dans un trou d'obus, entre les lignes, les balles de mitrailleuses bourdonnaient au-dessus de sa tête, les fusées éclairantes l'aveuglaient. « Mon vieux, je te jure que je ne rigolais pas. » Ce qui signifie : « Je n'étais pas du tout supérieur aux circonstances. »

Le cancre comparaît devant le conseil de discipline.

« Monsieur, il n'y a pas de quoi rire », dit le proviseur. On peut traduire : « Monsieur, votre situation n'est pas brillante, et vous allez vous en rendre compte dans cinq minutes. »

Au cours d'un débat parlementaire, un député est violemment attaqué. On l'accuse d'avoir empoché des subventions, exigé des pots-de-vin, dilapidé les deniers publics. Il se trouve que ces accusations sont très bien fondées, et qu'il est incapable d'y répondre. Alors, que fait-il ? Pendant le discours de son adversaire, il hausse les épaules, lève les yeux au ciel, et de temps à autre, éclate de rire. Enfin, il se lève et dit :

« Messieurs, je ne m'abaisserai pas à répondre à des accusations aussi basses. Je les repousse du pied et, tout simplement, j'en ris, oui, messieurs, j'en ris. »

Il n'en rit pas du tout; mais ce rire qu'il affecte essaie de prouver aux autres qu'il se sent très supérieur aux reproches qu'on lui fait; cet emploi prémédité du rire – dont le résultat n'est pas toujours bon – prouve la vérité de notre thèse.

Enfin, on a dit souvent : « Le rire désarme. »

Celui que je veux battre, et qui me fait rire, vient d'avouer ma supériorité. J'arrête le coup que j'allais lui porter : on ne frappe pas les vaincus.

Il serait facile de retrouver d'autres expressions; on pourra toujours leur donner un sens qui confirme notre thèse.

Nous allons maintenant découvrir de nouvelles preuves par l'étude sommaire de l'état d'esprit du moqué.

Le moqué

Beaucoup de gens sont allés sur le pré, l'épée à la main, à cause d'un éclat de rire, parfois à cause d'un sourire : pour effacer l'outrage, il leur fallait du sang.

Quel outrage?

Le fait que, par son rire, ou son sourire, le rieur avait prétendu être supérieur au moqué. C'est parce que le rieur s'est proclamé vainqueur que le moqué réclamait une revanche pour le transformer, si possible, en vaincu.

Celui qui est « la risée » de son village ou de son quartier, c'est que tous les habitants du village ou du quartier se croient supérieurs à lui : il le croit parfois, lui aussi, et il en a honte.

En société, on peut rire de moi sans me fâcher. On rit parce que j'ai mis un chapeau qui ne me va pas, parce que j'ai une fluxion, parce que j'ai fait une gaffe. Les rieurs sont charmés de leur petite supériorité; je la leur accorde et je ris moi-même, parce que ce sont mes amis. On pourrait définir l'ami en disant : « C'est un homme qui peut rire de moi sans me fâcher. »

Le moqué volontaire

Et d'ailleurs, quand nous sommes avec des amis, nous cherchons à nous faire rire mutuellement, c'est-à-dire à nous montrer momentanément inférieurs à nos amis, pour leur donner un petit plaisir.

Ainsi le grand-papa, volontairement, et avec un soin minutieux, piétine sa propre dignité et déshonore son noble visage en faisant des grimaces de pitre sur le berceau de son petit-fils. Quant au parrain, il va jusqu'à se mettre à quatre pattes, il

30

rugit, il aboie, pendant que le tonton imite le chant des petits oiseaux.

Cette humiliation générale a pour but, et pour résultat, de faire rire le petit enfant, c'est-à-dire de lui donner une *idée de sa supériorité*, de lui offrir plusieurs esclaves, qui prouvent la grandeur et la sincérité de leur amour par la prostitution de leur dignité, afin que le petit enfant ait confiance en lui-même.

Il est à remarquer que, si un tel système d'éducation se prolonge un peu trop, l'enfant aura de sa supériorité une idée très exagérée et deviendra irréparablement intolérable.

Le grand-papa, le tonton et le parrain nous amènent tout naturellement aux acteurs comiques professionnels.

Je me permets de citer ici une scène d'un film qui n'eut pas un grand succès, peut-être parce que la théorie qu'elle développait n'était pas à sa place sur un écran de cinéma.

***

Il s'agit d'un niais de village qui se croit un Mounet-Sully ou un Charles Boyer. Ce genre d'imbécile est assez répandu. Quelques farceurs, qui font partie d'une équipe cinématographique, flattant sa folie, lui signent un contrat mirifique – mais faux – et le poussent à partir pour Paris. Un producteur, frappé par son visage de comique, lui offre un rôle dans un film parodique, sans le prévenir, si bien que l'innocent joue avec un grand sérieux et une très vive émotion un rôle de cape et d'épée, tout au long d'une farce burlesque.

Ce n'est qu'à la première représentation du film que le malheureux découvre la tromperie; humilié par le fou rire qui salue ses gestes les plus nobles, il quitte la salle et songe à se suicider. Une jeune femme le console.

Irénée se promène dans le couloir, parmi les projecteurs et les affiches multicolores. Il est agité, il ronge ses ongles, il soupire. On entend au loin une rumeur puis des rires.

IRÉNÉE *(énervé)*

Mais qu'est-ce qui les fait rire comme ça? Ça doit être cet idiot de Galubert. Enfin, ils ont l'air de s'amuser... Mais s'ils s'amusent trop, ma scène d'amour ne les touchera pas... Ils vont peut-être en rire aussi. Surtout que... Enfin, s'ils en riaient, ça serait la fin des fins. Et puis, tant pis après tout, je m'en fous. J'aurai toujours l'épicerie.

Il époussette des accessoires. Brusquement, il se retourne. Françoise arrive au bout du long couloir. Irénée frissonne.

IRÉNÉE *(tremblant)*

Mon Dieu, qu'est-ce qu'elle va me dire?

FRANÇOISE *(toute joyeuse)*

Ça y est!

IRÉNÉE

Qui? Qu'est-ce qui y est?

32

FRANÇOISE

C'est gagné! Ils ont applaudi deux fois.

IRÉNÉE

Qui?

FRANÇOISE

Vous. Ils vous ont applaudi, vous, personnelle-
ment.

IRÉNÉE

La grande scène d'amour?

FRANÇOISE

Non. Elle n'est pas encore passée.

IRÉNÉE

Qui sait quel effet elle va faire?

FRANÇOISE

Oh! celle-là, j'en suis sûre.

IRÉNÉE

Moi aussi, moi aussi. Mais vous, vous en êtes
absolument sûre?

FRANÇOISE

Absolument sûre!

IRÉNÉE

Vous croyez qu'ils vont pleurer?

FRANÇOISE

Il faut que je vous dise la première ce qu'on vous dira tout à l'heure. Le film est un grand succès... Mais pas tout à fait comme vous croyez.

IRÉNÉE *(inquiet)*

C'est un succès pour tout le monde, sauf pour moi?

FRANÇOISE *(gênée)*

Non, c'est un gros succès pour vous. Mais enfin... Il y a des scènes... celles que vous appeliez les scènes d'émotion...

IRÉNÉE

Oui, les principales... Eh bien...

FRANÇOISE *(hésitante)*

Eh bien... Elles font beaucoup d'effet... Mais enfin, elles font un effet d'émotion... mêlé de comique.

IRÉNÉE *(frappé)*

Ah! Quand je pleure, ça les fait rire?

FRANÇOISE

Oh! Ils ne rient pas méchamment... Pas grossièrement, non... Mais la vérité, c'est que vous êtes un acteur comique... Un grand acteur comique.

IRÉNÉE *(atterré)*

Moi?

FRANÇOISE

Tous le disent. Même les journalistes, même les producteurs. C'est une révélation. Il y en a déjà qui ont quitté la salle et qui vous cherchent pour vous signer des contrats!

IRÉNÉE

Mais ma scène d'amour?

FRANÇOISE

Elle fera rire.

IRÉNÉE *(il a les larmes aux yeux)*

Non, non, je l'ai jouée sincèrement.

FRANÇOISE

C'est peut-être pour ça.

IRÉNÉE *(amer)*

Merci.

A ce moment, on entend au loin un immense éclat de rire. Irénée regarde l'heure.

IRÉNÉE

Onze heures vingt. La scène d'amour. Ils sont en train de se foutre de moi.

FRANÇOISE

Mais non, il y a plusieurs façons de rire...

IRÉNÉE

Il y a aussi plusieurs façons de ne pas rire et d'avoir du chagrin...

FRANÇOISE

Pourquoi en auriez-vous? Demain vous serez célèbre...

IRÉNÉE

A quoi bon? Il m'arrive le malheur le plus ridicule. Ne pas atteindre son but, c'est grave, c'est une grande déception. Mais atteindre un but tout à fait opposé, et réussir, pour ainsi dire, à l'envers, c'est la preuve la plus éclatante que l'on est un véritable idiot.

FRANÇOISE

Ce n'est pas vrai. On ne se connaît pas soi-même.

IRÉNÉE

Ecoutez. Supposez qu'un ingénieur ait inventé un nouveau canon qui tire plus loin que les autres. Et, au premier essai, ce canon tire par-derrière, et l'inventeur qui surveillait le tir, tout plein d'espoir et de fierté, reçoit l'obus dans l'estomac. Il tombe et il meurt. Eh bien, moi, mon canon tire à l'envers, je me sens plus triste que si j'étais mort!

FRANÇOISE

Votre succès va vous ressusciter.

IRÉNÉE *(indigné)*

Et vous croyez que je vais accepter un succès de comique! Ah! non. Pouah!

FRANÇOISE

Mais pourquoi?

IRÉNÉE *(amer)*

Faire rire! Devenir un roi du rire! C'est moins effrayant que d'être guillotiné, mais c'est aussi infamant.

FRANÇOISE

Pourquoi?

IRÉNÉE

Des gens vont dîner avec leur femme ou leur maîtresse. Et, vers neuf heures du soir, ils se disent : « Ah! maintenant qu'on est repu et qu'on a fait les choses sérieuses de la journée, où allons-nous trouver un spectacle qui ne nous fera pas penser, qui ne nous posera aucun problème et qui nous secouera un peu les boyaux, afin de faciliter la digestion? »

FRANÇOISE

Allons donc! Vous exagérez tout...

IRÉNÉE

Oh non, car c'est même encore pire : ce qu'ils viennent chercher, quand ils vont voir un comique, c'est un homme qui leur permette de s'estimer davantage. Alors, pour faire un comique, le maquilleur approfondit une ride, il augmente un petit défaut. Au lieu de corriger mon visage, au lieu d'essayer d'en faire un type d'homme supérieur, il le dégradera de son mieux, avec tout son art. Et si alors j'ai un grand succès de comique, cela voudra dire que dans toutes les salles de France, il ne se trouvera pas un homme, si bête et si laid qu'il soit, qui ne puisse pas se dire : « Ce soir, je suis content, parce que j'ai vu – et j'ai montré à ma femme – quelqu'un de plus bête et de plus laid que moi. » (*Un temps, il réfléchit.*) Il y a cependant une espèce de gens auprès desquels je n'aurai aucun succès, les gens instruits, les professeurs, les médecins, les prêtres. Ceux-là, je ne les ferai pas rire, parce qu'ils ont l'âme assez haute pour être émus de pitié. Allez, Françoise, celui qui rit d'un autre homme, c'est qu'il se sent supérieur à lui. Celui qui fait rire tout le monde, c'est qu'il se montre inférieur à tous.

FRANÇOISE

Il se montre, peut-être, mais il ne l'est pas.

IRÉNÉE

Pourquoi?

FRANÇOISE

Parce que l'acteur n'est pas l'homme. Vous avez vu Charlot sur l'écran qui recevait de grands coups de pied au derrière. Croyez-vous que, dans la vie, monsieur Charlie Chaplin accepterait seulement une gifle? Oh! non! Il en donnerait plutôt... C'est un grand chef dans la vie, monsieur Chaplin.

IRÉNÉE

Alors, pourquoi s'abaisse-t-il à faire rire?

FRANÇOISE

Quand on fait rire sur la scène ou sur l'écran, on ne s'abaisse pas, bien au contraire. Faire rire ceux qui rentrent des champs, avec leurs grandes mains tellement dures qu'ils ne peuvent plus les fermer. Ceux qui sortent des bureaux avec leurs petites poitrines qui ne savent plus le goût de l'air. Ceux qui reviennent de l'usine, la tête basse, les ongles cassés, avec de l'huile noire dans les coupures de leurs doigts... Faire rire tous ceux qui mourront, faire rire tous ceux qui ont perdu leur mère, ou qui la perdront... Celui qui leur fait oublier un instant les petites misères... la fatigue, l'inquiétude et la mort; celui qui fait rire des êtres qui ont tant de raisons de pleurer, celui-là leur donne la force de vivre, et on l'aime comme un bienfaiteur...

IRÉNÉE

Même si pour les faire rire il s'avilit devant leurs yeux?

FRANÇOISE

S'il faut qu'il s'avilisse, et s'il y consent, le mérite est encore plus grand, puisqu'il sacrifie son orgueil pour alléger notre misère... On devrait dire saint Molière, on pourrait dire saint Charlot...

IRÉNÉE

Mais le rire, le rire... C'est une espèce de convulsion absurde et vulgaire...

FRANÇOISE

Non, non, ne dites pas du mal du rire. Il n'existe pas dans la nature; les arbres ne rient pas, les bêtes

ne savent pas rire... les montagnes n'ont jamais ri...
Il n'y a que les hommes qui rient... Les hommes et
même les tout petits enfants, ceux qui ne parlent pas
encore... Le rire, c'est une chose humaine, une vertu
qui n'appartient qu'aux hommes et que Dieu, peut-
être, leur a donnée pour les consoler d'être intelligents...

6.

Les différentes supériorités

NOUS avons expliqué le rire positif par ces mots :
Je ris de ma supériorité.

Est-ce à dire qu'un colonel éclate de rire à la vue
d'un capitaine? Non, sans aucun doute : nous avons
parlé d'une supériorité momentanée, et que l'on
découvre brusquement.

Or, le colonel a été capitaine; il sait qu'il lui a fallu
beaucoup de temps et de travail pour atteindre ce
grade; il sait depuis longtemps que, dans le domaine
militaire seulement, un colonel est le supérieur d'un
capitaine, et il ne rit pas d'une supériorité réglemen-
taire (c'est-à-dire artificielle) et reconnue depuis
longtemps.

Notons au passage que ce qui nous a fait rire une
fois nous fait moins rire une seconde fois : notre
supériorité ayant été établie, nous n'avons plus
besoin d'en trouver de nouvelles preuves.

Notons encore que l'on ne rit guère des gens que
l'on méprise : pour que le rire naisse, il ne faut pas
que la supériorité du rieur – ou du moins la conscience qu'il en a – soit trop grande.

D'autre part, les hommes rient très rarement des malheurs physiques des femmes : ils n'ont pas besoin de se démontrer leur supériorité physique sur elles. Cette supériorité – même quand elle est imaginaire – est inscrite depuis toujours dans leur conscience. C'est une idée innée.

En revanche, ils rient volontiers de la femme qui essaie d'imiter un homme : la femme à barbe, ou la lesbienne en smoking, et cet éclat de rire exprime leur supériorité sur une caricature de leur propre sexe.

Essayons ensuite de découvrir les bases mêmes du comique, c'est-à-dire les actes ou les gestes qui font rire tous les hommes et toutes les femmes.

Les lieux communs du rire, chez les peuples civilisés, ce sont les fonctions naturelles. Car c'est là un domaine dans lequel nous sommes tous égaux, et nous le savons bien.

Locomotion, respiration, digestion, reproduction, voilà les fonctions animales qui entretiennent notre vie, à laquelle nous tenons tant. Il nous est obscurément agréable de voir des personnages chez qui certaines de ces fonctions sont momentanément supprimées, ralenties, ou accélérées, et nous rions de notre bonne santé.

Le monsieur qui a le hoquet, l'Arabe qui a le « bouchon », ou le constipé opiniâtre, ou la diarrhée du Malade imaginaire, entretenue par les clystères de monsieur Fleurant, font rire tout le monde, et surtout les civilisés. Chez eux, en effet, le sentiment de supériorité animale se double du sentiment de supériorité sociale : moi, je ne suis pas aussi vulgaire que ce personnage qui a la colique en scène. Moi, je ne m'étouffe pas quand je bois un verre d'eau, etc., etc.

Il y a aussi l'exemple classique de la chute imprévue d'un passant. Cet homme, qui vient de glisser sur une peau de banane et qui a fait des gestes étranges et désordonnés avant de tomber brutalement assis sur son derrière, je ne le connais pas, je ne lui en veux pas, je ne tire aucune satisfaction de sa mésaventure personnelle : mais comme je suis content que ça ne soit pas moi! Moi, la peau de banane, je l'avais vue de loin. D'ailleurs, si je ne l'avais pas vue, et si j'avais posé mon pied sur elle, je ne serais pas tombé, parce que j'ai des réflexes et que je suis souple. Je suis beaucoup mieux que cet inconnu, et je ris tout seul des compliments que je me fais.

Mais le plus grand succès du rire est toujours obtenu par les fonctions digestives et sexuelles.

On a presque oublié aujourd'hui l'énorme succès – à une époque infiniment plus polie et plus prude que la nôtre – des gauloiseries d'Armand Silvestre.

De quoi s'agit-il dans ces contes?

Je vais employer ici des mots grossiers, parce qu'il s'agit d'actions grossières. Si je les masquais de périphrases, j'irais à l'encontre de mon but.

Le vaillant capitaine, qui revient de la guerre chargé de lauriers, veut séduire l'appétissante bourgeoise.

Que fait-il? Envoie-t-il des cadeaux? Donne-t-il une sérénade? Ecrit-il un poème? Non. Il pète, longuement, et à grands échos : il la séduit.

Signalons que, pour donner à ces pets toute leur importance, l'illustrateur les a dessinés, sous la forme de nuages aux contours précis, sortant en fumées brusquement élargies de la culotte du beau capitaine.

D'autres histoires ont pour thème une érection manquée ou puissante, mais inopportune, ou une diarrhée imminente pendant un rendez-vous d'amour. L'amiral s'appelle Lekelpudubec, la princesse maorie Kikamalotutu. Et si l'auteur dit un mot du grand Pierre Loti, c'est pour l'appeler « Pierre Loto lieutenant de vessie ».

Ces contes ont fait la joie de nos grands-mères, qui les lisaient en cachette et se les prêtaient sous le manteau. Et il est vrai qu'ils ont, encore aujourd'hui, une puissance comique très considérable : nous regrettons d'en rire, mais nous en rions.

Voici enfin un autre exemple, et qui me semble décisif. Les faits que je vais vous raconter se sont passés à Paris, la ville la plus spirituelle du monde, et les chiffres que je vais donner sont consignés sur les registres de la Société des Auteurs.

Il y avait à cette époque, sur la scène française Sarah Bernhardt, Réjane, Lucien Guitry, sans parler de l'admirable troupe des Variétés, dont la seule évocation rend modestes les comédiens qui l'ont vue dans leur jeunesse.

Voici quelles étaient les recettes :
Sarah Bernhardt : 8 000
Lucien Guitry : 6 500
Réjane : 7 000
Variétés : 6 000

Or, à ce même moment, un comique se faisait entendre au Moulin-Rouge. Il avait l'air d'être seul en scène : mais il y avait aussi son derrière, qui avait son mot à dire, et qui en disait beaucoup plus long que sa figure. Il s'intitulait le « pétomane ».

Cet homme, fort élégamment vêtu d'un habit rouge, fouettant ses bottes vernies d'une mince cravache à pommeau d'or, se promenait, avec une noble démarche, sur la vaste scène du Moulin-Rouge, et, continuellement, il pétait.

J'emprunte à Yvette Guilbert, qui l'a vu et qui l'a connu, le récit de ses exploits dramatiques.

« C'est au Moulin-Rouge que j'ai entendu les plus longs spasmes du rire, les crises les plus hystériques de l'hilarité. Zidler reçut un jour la visite d'un monsieur à visage maigre, triste et pâle, qui lui confia qu'étant un « phénomène », il voulait vivre de sa particularité.

— En quoi consiste-t-elle, votre particularité, monsieur?

— Monsieur, expliqua l'autre en toute gravité, figurez-vous que j'ai l'anus aspirateur...

Zidler, froidement blagueur, fit :

— Bon ça!

L'autre continua, d'un ton de professeur :

— Oui, monsieur, mon anus est d'une telle élasticité que je l'ouvre et le ferme à volonté...

— Et alors... qu'est-ce qui arrive?

— Il arrive, monsieur, que par cette ponction providentielle (?)... j'absorbe la quantité de liquide qu'on veut bien me confier...

— Comment? Vous buvez par le derrière? dit Zidler effaré et aguiché. Qu'est-ce que je puis vous offrir, monsieur, dit Zidler, cérémonieux...

L'autre, de même :

— Une grande cuvette d'eau, monsieur, si vous le voulez bien...

— Minérale, monsieur?

— Non, merci, naturelle, monsieur.

Quand la cuvette fut apportée, l'homme, enlevant son pantalon, fit voir que son caleçon avait un trou à l'endroit nécessaire. S'asseyant alors sur la cuvette remplie jusqu'au bord, il la vida en un rien de temps et la remplit de même.

Zidler constata alors qu'une petite odeur de soufre se répandait dans la chambre :

– Tiens, vous fabriquez de l'eau d'Enghien!

L'homme sourit à peine :

– Ce n'est pas tout, monsieur... Une fois ainsi rincé, si j'ose dire, je puis, et c'est là où est ma force, expulser à l'infini des gaz inodorants... car le principe de l'intoxication...

– Quoi!... quoi?... interrompit Zidler, parlez plus simplement... vous voulez dire que vous pétez?...

– Heu... si vous voulez..., concéda l'autre, mais mon procédé, monsieur, consiste dans la variété sonore des bruits produits.

– Alors, quoi? vous chantez aussi du derrière?

– Heu... oui, monsieur.

– Eh bien, allez-y, je vous écoute!

– « Voici le ténor... un;
   Voici le baryton... deux;
   Voici la basse... trois;
   La chanteuse légère... quatre;
   Celle à vocalises... cinq. »

Zidler, affolé, lui cria :

– Et la belle-mère?

– La voilà! dit le pétomane.

Et, sur ce, Zidler l'engagea. Sur les affiches on lisait :

Tous les soirs, de 8 heures à 9 heures,

LE PÉTOMANE

Le seul qui ne paie pas de droits d'auteurs!

Zidler mit le pétomane dans l'éléphant du jardin*, on s'écrasait pour l' « entendre », et les cris, les rires, les spasmes des femmes, les hurlements hystériques s'entendaient à cent mètres du Moulin-Rouge. Et quand le pétomane voyait cette foule ainsi secouée, il criait : « Un! deux! trois! *En chœur!...* » Et le chœur, se joignant à lui, la salle était alors en « convulsions ».

Les recettes du pétomane atteignaient mille louis le dimanche.

Il est à remarquer que les fonctions naturelles ne font pas rire les sauvages, chez qui elles s'accomplissent au grand jour, et fort librement. Celui qui les satisfait en public n'est donc pas en état d'infériorité. C'est chez les peuples les plus raffinés que l'exercice public des fonctions naturelles, ou l'aveu de leur dérangement, fera rire le plus de gens.

Une autre cause du rire, ce sont les différences sociales.

Les mésaventures du général, de l'évêque, du maire sont plus comiques que celles du clochard.

On se souvient du président de la République qui tomba d'un train, dans la nuit. Ce fut une affreuse tragédie : cet homme intelligent et bon, élevé par le vote de ses pairs à la plus haute magistrature de notre pays, luttait désespérément contre la folie et la mort : on en fit des chansons comiques, et toute la France fut prise de fou rire.

Certes, il n'avait pas d'ennemis : mais quelle joie

* Au milieu du jardin attenant à la salle du Moulin Rouge se dressait un monumental éléphant en stuc. Son corps abritait une salle de spectacle à laquelle conduisaient des escaliers logés dans une patte de l'animal.

de se sentir un instant supérieur à un autre homme qui était président de la République, qui avait son train spécial, et qui finit par arriver, en chaussettes, au milieu de la nuit, dans le chalet d'un garde-barrière!

La même aventure, si elle fût arrivée à un retraité des Postes, n'eût jamais paru comique à personne.

De même, les farces faites au maître d'école font rire les élèves, parce qu'il est censé les commander; et de toutes les personnes qui ont mis leur culotte à l'envers, depuis que l'homme porte culotte, seul le bon Dagobert est devenu un personnage comique, parce qu'il était roi.

Viennent ensuite les différences intellectuelles.

La faute d'orthographe d'un candidat au certificat d'études ne fait rire personne. Nous n'avons pas besoin de constater publiquement notre supériorité sur cet enfant, nous n'en ressentons aucune fierté.

Mais la faute d'orthographe d'un professeur fait rire ses élèves, celle d'un académicien, chargé du dictionnaire, fait rire les professeurs.

Le paillasse de la foire parle du « cocodrille », et j'entends rire plusieurs personnes, qui sont assez fières de savoir que l'on doit dire « un crocodile ». Pour moi, je sais que mon instruction me préserve de pareilles erreurs, et je ne me réjouis pas de me sentir intellectuellement supérieur au personnage illettré que joue ce clown.

Revenons maintenant à l'absurde aventure du boucher et du préfet.

Pourquoi tous les spectateurs ont-ils ri? Quelles étaient leurs supériorités? Et d'abord, qui étaient ces spectateurs?

Il y en avait un grand nombre, parce qu'il était six

heures du soir, parce qu'il faisait beau, et parce qu'il faut nourrir ce chapitre.

Il y avait d'abord quelques enfants qui sortaient de l'école. Ils ignoraient tout des causes de ce petit drame, mais ils ont ri à très haute voix, en poussant des cris.

Les enfants – je m'en souviens encore – sont longuement tyrannisés par les grandes personnes. Cette tyrannie, qui applique impitoyablement des règles et des conventions, est un véritable système mécanique, longuement mûri et mis au point, et qui s'appelle l'éducation. C'est pourquoi les enfants sont menteurs et hypocrites, c'est pourquoi ils ont des âmes d'esclaves. Il faut des années de refoulement et de souffrance pour que leur hypocrisie devienne la sincérité d'un homme bien élevé : c'est la vie en société qui rend indispensable le corset de fer de l'éducation.

Mais ces enfants qui riaient dans la rue n'étaient pas surveillés, et ces petits esclaves des grandes personnes ont vu une grande personne – le boucher – qui bottait le derrière d'une autre grande personne – le préfet. Exercice inaccoutumé, surprenant, ravissant. Ils savent très bien – pour en avoir reçu – ce que c'est qu'un coup de pied au derrière : une très humiliante punition, et qui s'applique, en général, à un fuyard. Et ce monsieur, qui l'a reçu, est un homme distingué, sérieux, comme le directeur de l'école, ou comme l'oncle Emile. Joie, enthousiasme, triomphe. S'ils avaient osé, ils auraient crié *bis*.

Dans la rue, il y avait aussi l'ancien préfet, qui fut révoqué à la Libération. Il en veut à son successeur; il l'accuse de tous ses malheurs récents.

L'ancien préfet a ri pour deux raisons.

D'abord, parce qu'il est un homme, qu'il n'a pas

reçu de coup de pied, et qu'il a vu un homme élégant qui en recevait un.

Ensuite, il a reconnu son ennemi, et s'est réjoui de le voir publiquement humilié. Il n'a, d'ailleurs, pas fini d'en rire, car il va conter partout cette histoire, et surtout devant les rieurs du café du Commerce, pour remettre le préfet malchanceux en état d'infériorité momentanée vis-à-vis de lui-même, qui est, durablement, son inférieur.

Il y avait aussi des femmes, dont les ancêtres, pendant des millénaires, ont été battues par les mâles : elles ont été ravies de voir un mâle attaquer – enfin – un autre mâle.

Quant à moi, j'ai ri pour plusieurs motifs.

1° Je n'ai pas été surpris, comme le boucher et le préfet. Moi, on ne me surprend pas.

2° Je n'ai pas reçu de coup de pied au derrière, et pourtant je ne suis pas préfet. En ce moment même, je suis plus qu'un préfet.

3° Je n'ai pas commis l'erreur absurde du boucher qui, de plus, est cocu. Moi, je ne ferais pas une erreur aussi ridicule et, d'autre part, moi, je ne suis pas cocu.

Bien entendu, je n'ai pas fait consciemment cette suite de raisonnements. Leur conclusion a jailli de mon subconscient, et j'ai ri de bon cœur.

Voici maintenant le mécanisme des farces et des mystifications.

Le but de toute farce est de mettre une personne en état d'infériorité devant d'autres, qui sont les rieurs.

Au lieu de jouir brusquement d'une supériorité inattendue et non provoquée, comme dans le cas du monsieur qui rit parce qu'un passant vient de recevoir sur la tête le contenu d'un seau à ordures, les rieurs, de propos délibéré, et même avec une mise en scène minutieuse, ont préparé artificiellement leur supériorité.

Les farceurs y prennent souvent beaucoup de peine; ils semblent donc s'en promettre un grand plaisir.

La première espèce, celle des farceurs professionnels, se compose de gens tristes, qui ne rient de rien, et qui ont besoin d'organiser la série de circonstances – le plus souvent étranges et saugrenues – qui les fera rire. Ils nous font penser au vieux monsieur qui ranime son activité sexuelle par l'absorption de diverses drogues.

La seconde espèce, c'est celle des farceurs qui, tyrannisés par un supérieur insupportable, se liguent pour le mettre, devant eux, dans une position d'infériorité, ne fût-ce qu'une minute. Le type même de cette farce, c'est la cuvette d'eau placée en équilibre sur la porte, à peine entrouverte, de la chambrée. Elle attend l'adjudant Flick, qui se croit au moins général, et qui nous rend la vie impossible par sa bêtise agressive. La chute de cette cuvette est un instant délicieux, et qui nous fait rire d'un rire complet.

Enfin, citons pour mémoire les farces des empereurs romains.

Au sommet de la puissance et supérieurs, par définition, à tous les hommes, ils ne rient plus de personne. Il ne leur reste plus qu'un moyen de rire : se sentir supérieur, ne fût-ce qu'un moment, à un autre homme, sur le plan animal. De là, ces « distractions » assez surprenantes, comme de regarder un athlète longuement dévoré par les murènes, en faisant de grands éclats de rire quand le poisson féroce lui arrache un œil; d'autres fois, on enduit les chrétiens de résine fondue, et l'on y met le feu. Ou encore le vieux sultan impuissant, après avoir assisté à la fabrication des eunuques, fait empaler de jeunes femmes...

La toute-puissance, c'est-à-dire la supériorité reconnue et proclamée sur tous et sur toutes, a souvent mené au crime des tyrans qui ne pouvaient plus rire de rien, et qui avaient envie de rire.

Notes

Et tout d'abord, notons que la théorie de Bergson : « du mécanique plaqué sur du vivant », n'est pas en contradiction avec la nôtre : elle semble au contraire la confirmer.

Un individu qui agit mécaniquement devant moi se montre – sans s'en rendre compte – inférieur à moi, et me rappelle ma supériorité la plus précieuse : la liberté, dont je doute quelquefois.

De même, la surprise d'un autre me fait rire, lorsque je ne suis pas surpris moi-même, parce que : « Un homme *averti* en vaut deux ». Je suis bien content de valoir deux adjudants, ou deux préfets, ou deux imbéciles comme celui qui, tout à l'heure, avait peur d'un oignon. Car on peut rire de soi; à ce moment, on se dédouble : comme je suis supérieur à ce personnage que je fus! C'est le comble de la vanité : je mesure mes progrès, et c'est une source de satisfaction.

D'ailleurs, je ris souvent de ce que je fus, jamais de ce que je serai.

On rit tout seul.

Après un accident grave, celui qui se retrouve entier éclate brusquement de rire, même s'il est seul.

On peut rire aussi de se sentir supérieur sans que le terme de comparaison qui sert de base à cette supériorité soit défini : le gagnant des cinq millions de la loterie, par exemple, se sent supérieur au reste du monde. Mieux encore, l'amoureux passionné, qui sort de son premier rendez-vous : il rit tout seul, il rit aux étoiles, il se sent des ailes, il est plus heureux que l'humanité tout entière.

La jeune mère regarde son bébé, et rit. Elle ne rit pas de sa supériorité sur ce petit enfant, elle rit de sa supériorité sur le reste du monde, parce qu'elle a *créé* – et qu'elle a justement fait cet enfant-là, qui est sans discussion possible, le plus beau du monde.

Le sourire est véritablement un sous-rire.

Le sous-rire est l'expression à mi-voix d'une légère supériorité révélée, ou d'une grande supériorité déjà reconnue.

Les enterrements sont très gais, tout le monde est supérieur à un mort. Goujat debout vaut mieux qu'empereur enterré. Il n'y a que le mort qui ne rie pas et ceux qui ont peur pour eux : les amis d'enfance, amoindris par la perte d'un ami, et la mort d'un homme de leur âge.

Le rire positif est tonique

Le langage prétend que le rire dilate la rate; et les Anglais appellent « spleen » (c'est-à-dire rate) la mélancolie profonde, qui est le contraire du rire...

Nous savons aujourd'hui que la rate produit les globules rouges de notre sang. Il est donc probable que les Anglais ont raison, et qu'une mélancolie, une neurasthénie peuvent avoir pour cause une maladie de cet organe qui ralentirait la production de globules rouges. Pour les rapports du rire et de la rate, voici une thèse invérifiable, mais soutenable.

Le rire, étant un chant de triomphe, déclenche un petit orage nerveux. La rate en reçoit la nouvelle : pour prendre sa part à l'action générale, et pour y contribuer, elle déverse aussitôt dans le sang un flot nouveau de globules rouges. Cette explication nous plaît beaucoup, parce qu'elle prouve l'exactitude de notre théorie : mais c'est aussi ce qui nous la rend suspecte.

En tout cas, un fait est certain : un homme qui ne rit plus, à cause de circonstances extérieures, perd peu à peu sa vitalité, sa vitesse, sa bonté. Lorsque la France a été enfin libérée, après quatre années de captivité, les Français de 1939 avaient disparu. Ceux qui furent délivrés parlèrent un nouveau langage et l'immense joie de la victoire ne put effacer complètement la longue amertume de l'occupation. C'est parce qu'ils avaient été sous-alimentés, surveillés, humiliés. C'est parce qu'ils avaient nourri si longuement la sainte haine contre les Barbares; c'est surtout parce que, depuis quatre ans, ils ne riaient plus, sinon du rire amer et dur, le rire nocturne et négatif de la vengeance, qui n'est pas le rire clair, naïf, impudique, le rire de la confiance en soi et de la santé. Ce rire, il nous faudra plusieurs années pour le retrouver.

Pour en revenir à des considérations plus générales, c'est un fait que le théâtre comique nous réconforte, précisément parce qu'il nous propose des personnages conçus et présentés de façon à nous faire croire que nous leur sommes, à chaque instant, supérieurs.

Cette impression, même momentanée, et donnée par une série d'artifices, est extrêmement bienfaisante, surtout quand on réussit à la faire ressentir par un spectateur fatigué par son travail de la journée, inquiet de la situation politique ou de l'état de sa fortune, ou découragé par l'infidélité de sa femme.

Pour certains malades – les neurasthéniques, les anémiés, les déprimés – le théâtre comique agit à la façon d'un remède.

Faire rire un être découragé, c'est-à-dire qui se croit inférieur à tous, et même à la vie, c'est lui rendre momentanément un sentiment de supériorité sur un autre individu, ou sur un groupe d'individus, et ce sentiment, provoqué par l'artifice de l'auteur ou du comédien, peut réamorcer en lui, tout au moins provisoirement, la source de la confiance et du courage.

Un fait extrêmement surprenant, mais indiscutable, c'est le succès immense du théâtre gai en temps de guerre. Il est même certain que des pièces ou des films qui avaient été jugés vraiment trop bêtes en temps de paix obtiennent la faveur du public en temps de guerre, ou dans les époques troublées.

C'est parce que le spectateur du temps de guerre est un être affaibli par l'inquiétude, les soucis, la sous-alimentation. Il est bien modeste, le spectateur du temps de guerre. C'est parce qu'il a perdu sa confiance en soi qu'il est heureux de se sentir supérieur à n'importe quel personnage, si bête soit-il.

Le jeu de mots

En ce qui concerne les jeux de mots, les calembours et les bonnes histoires, nous avons choisi les plus anciens et les plus connus. Beaucoup de lecteurs n'en riront pas, pour les avoir entendus trop souvent. Ce sont pourtant les plus drôles, et qui font rire aux éclats les adolescents, dont le rire est plus naturel que le nôtre.

Pourquoi rions-nous d'un jeu de mots? Ici, le problème du rire paraît fort compliqué. En réalité, il est très simple si nous nous en tenons à la règle de Bergson : « L'homme ne rit que de l'homme. »

Au moment de l'explosion du jeu de mots, il n'y a que trois catégories de personnages en scène.

1° Celui qui parle.

2° Les personnages mis en scène dans la bonne histoire.

3° Les personnages qui écoutent, et qui rient.

Ceux qui rient se sentent brusquement supérieurs, soit à celui qui parle, soit aux personnages mis en scène, soit à eux-mêmes.

Exemple :

J'ai quatorze ans. Je suis avec un ami du même âge. Nous rencontrons un autre ami.

Le premier lui dit : « Comment vas-tu, yau de poêle? »

Le second répond : « Et toi, lamatelas? »

Je ris aux larmes. Pourquoi?

Mon bon maître Aimé Sacoman nous disait souvent : « Jeu de mots, faiblesse d'esprit. » Equation définitive.

La parole doit nous servir à exprimer nos pensées. Elle doit donc leur obéir humblement, et fidèlement. Dès que c'est la parole qui commande la pensée, celui qui parle est exactement dans le même état qu'un ivrogne, qui « ne sait plus ce qu'il dit ». Ce n'est plus son cerveau qui commande. Ce sont les sons qu'il entend. Et moi, qui écoute, je suis supérieur à ces deux amis, qui sont des moqués volontaires, et qui rient d'ailleurs eux-mêmes du rôle qu'ils viennent de jouer.

Les bonnes histoires

Un sourd rencontre un autre sourd, qui porte, sur son épaule, tout un attirail de pêcheur.

— Vous allez à la pêche?

— Non. Je vais à la pêche!

— Ah! Je croyais que vous alliez à la pêche!

Il y a ici quatre personnages : le narrateur, les deux sourds, l'auditeur.

Il est évident que les deux sourds sont les personnages en état d'infériorité. D'abord, parce qu'ils sont sourds, chacun pour leur compte personnel. Puis parce qu'ils sont deux, et qu'ils prétendent tenir une conversation, comme vous et moi. Ensuite, parce que leur surdité totale est mise en évidence avec une cruauté glacée. Enfin, parce qu'ils essaient – les pauvres gens – de nous cacher leur malheur, qui nous est révélé par l'absurdité de leur conversation.

Nous avons aussi l'histoire du bègue, dans le métro, qui demande au monsieur qui est devant lui, tout en bégayant terriblement :

– Vous descendez à la prochaine?

Le monsieur se retourne, l'air inquiet, et de la tête dit : « Non. »

Le bègue, avec de grands efforts, qui commencent à faire rire les assistants, continue :

– La prochaine, c'est Villiers?

Le monsieur lève les yeux au plafond pour exprimer qu'il n'en sait rien.

– Mais pourtant, insiste le bègue, est-ce que la précédente, ça n'était pas Malesherbes?

Le monsieur hausse les épaules et sourit faiblement.

Le bègue, irrité des rires étouffés qu'il entend autour de lui, va injurier le monsieur, lorsque la rame s'arrête, et le bègue descend en hâte.

Le train repart. Une vieille dame demande alors au monsieur, avec une gentillesse apitoyée :

– Vous êtes muet, monsieur?

Le monsieur dit : « Non », d'un signe de tête.

– Alors, pourquoi n'avez-vous pas répondu à ce pauvre homme?

Le monsieur rougit légèrement et dit :

– Parce qu'il m'aurait ff... il m'aurait ff ff... il m'aurait foutu sur la gueule!

Après les deux sourds, les deux bègues. Leur infirmité n'est pas grave, et elle n'excite pas notre pitié. Elle est aussi très adroitement mise en scène.

Celle du premier bègue est avouée dès le départ. Elle fournit au narrateur l'occasion de me faire rire par l'imitation exagérée d'un homme qui n'est pas maître de parler quand il veut. Puis, mon attention est attirée sur le monsieur qui ne veut pas répondre. Il y a là un petit mystère que je n'arrive pas à résoudre. Est-il muet? A-t-il peur que quelqu'un ne reconnaisse sa voix? Plus il se tait, plus il pique ma curiosité. Enfin, il parle : c'est un autre bègue! De plus, il était dans une situation extrêmement embarrassante; enfin, il avait peur. Les personnages comiques sont toujours des faibles, et souvent des infirmes, tout au moins momentanément.

Les acteurs qui rient en scène

Il y a une chose qu'un auteur comique ne doit jamais faire : c'est de montrer, en scène, des personnages qui s'amusent sincèrement et qui rient de bon cœur.

Dans ces cas-là, le spectateur ne rit jamais. Il est venu pour qu'on le fasse rire, pour que des personnages se montrent inférieurs à lui. Il est choqué par la présence de ces gens en état de supériorité, et qui rient sans avoir payé leur place.

Chaque fois que l'on rit sur la scène ou sur l'écran, on ne rit pas dans la salle.

Sauf dans un seul cas : lorsque le rire du comédien fait la preuve de la bêtise du personnage.

Par exemple, un personnage rit parce que quelqu'un vient de s'asseoir sur un chapeau qu'il croit être celui d'un autre. Il est charmé, il rit aux larmes : et nous aussi, parce que nous savons qu'il se trompe, et que ce chapeau c'est le sien.

Ainsi, il est deux fois comique : d'abord parce qu'on a écrasé son chapeau, et ensuite parce que, par son rire, il se proclamait supérieur, alors qu'il était inférieur, et qu'il riait à contre-temps. Deux fois comique, parce que doublement imbécile.

De même, le rire du cocu qui ignore son infortune, et qui rit aux larmes de l'inconscience d'un autre cocu.

Le snob

Le snob ne rit presque jamais. Le snob, qui n'est pas toujours un imbécile, croit être l'axe et le pivot du monde. C'est pourquoi il hait les autres snobs, qui ont l'audace de se croire, eux aussi, le centre du monde.

Il y a ainsi, dans les asiles d'aliénés, des fous souriants et sympathiques, qui croient être Napoléon ou Jésus. Ces fous sont bons, nobles et calmes. Mais ils deviennent des fous bavants et furieux s'ils rencontrent un usurpateur, c'est-à-dire un autre Jésus ou un autre Napoléon. Ce sont là des haines de snobs.

Le snob sourit, par contentement de soi, à cause de sa supériorité générale sur l'ensemble de l'humanité. Il ne rit pas de ce qui nous fait rire : il ne peut pas lui arriver d'être brusquement délivré d'un complexe d'infériorité, puisqu'il est supérieur à tout et à tous. Mais il rira délicieusement de choses qui nous sont indifférentes.

Par exemple, le snob est entiché de noblesse, parce qu'il s'appelle Durand ou Barbarin. Il croit très sérieusement que les connétables de Montmorency ont pris possession de notre planète bien avant les Barbarin.

Si on lui révèle que l'actuel connétable – qu'il a très respectueusement salué hier chez la duchesse de Guermantes – n'est qu'un Arménien renégat qu'on vient d'arrêter ce matin pour escroquerie, et qu'il s'appelait Abonessian, alors le snob rira, et de tout son cœur.

Son seul complexe d'infériorité vient momentanément de disparaître, à l'occasion d'un seul individu.

Ainsi, quand il ne rit pas, et quand il rit, le snob prouve jusqu'à l'évidence l'exactitude de notre thèse.

La foule

C'est un fait bien connu que la foule rit plus facilement qu'un individu isolé.

On peut l'expliquer en partie par la contagion physique, ou plutôt par la propagation de ce petit orage nerveux qu'est le rire, et cette raison a certainement une valeur.

Mais nous proposons de compléter l'explication

du rire des foules par une autre raison, d'ordre psychologique :

Le rire étant l'expression d'un sentiment de supériorité, on ne veut pas être moins supérieur que son voisin.

C'est pourquoi les gens simples, au théâtre, rient si fort et si librement : c'est une sorte de concours.

Au contraire, les gens très instruits et les délicats n'osent pas rire trop bruyamment : il n'est pas de bon goût de proclamer sa supériorité.

Enfin, les vaniteux ne rient pas beaucoup. Parfois, à l'endroit le plus drôle d'un vaudeville, on les voit prendre un air de mépris. Ils nous disent ainsi fort clairement :

« Ma supériorité sur ces choses-là est si grande que je ne daigne pas l'exprimer. »

L'indifférence

Un ennemi du rire, c'est l'indifférence.

Il y a des êtres qui, sous l'influence d'une maladie ou de l'âge – ce maçon de la sclérose –, cessent tout à coup de rire ou de pleurer, et semblent entièrement absorbés par une angoisse intérieure : leur regard a changé de sens.

Peu leur importe d'être inférieurs ou supérieurs à un autre homme : ils viennent d'apprendre la fragilité de la vie humaine, et combien la différence est petite entre un homme debout et celui qui tombe dans l'escalier. Elle est même si petite qu'ils ne la perçoivent plus.

Et il est vrai que celui qui regarde en face le noble

et fastueux problème de la mort, et cette faux du Temps qui coupe tous les hommes à la même longueur, celui-là ne se croit supérieur à personne : et c'est pourquoi il ne rit plus.

Il faudrait, pour le faire éclater de rire, qu'il découvrît l'eau de Jouvence, et qu'il fût assuré de vivre éternellement.

Le rire négatif

Nous avons dit : « Je ne ris pas de ma supériorité, je ris de ton infériorité. »

Ainsi, cet homme qui glissa sur la peau de banane m'a fait rire – de loin – du rire positif.

Je m'approche, et je reconnais mon ennemi personnel. Je ris du rire négatif, je ris parce que *c'est lui* qui est tombé. Je dis : « c'est bien fait ! » Je *ris contre lui,* et non plus *pour moi.*

C'est ainsi que les victimes ont ri de la pendaison du bourreau.

Lorsque le rire négatif ne se tempère pas d'une nuance de rire positif, il s'appelle « ricanement ».

Rire offensif

Tous les journaux satiriques, depuis qu'il en existe, ne sont qu'une exposition hebdomadaire des faiblesses, des gaffes ou des tares des grands hommes ou tout au moins de ceux que la foule envie.

Ils ne parlent jamais des humbles, sinon pour les défendre et les encenser. Mais, par des anecdotes, qui ne sont pas toujours méchantes, par des dialogues, qui ne sont pas toujours inventés, ils mettent les heureux de ce monde en état d'infériorité devant le lecteur, qui en est ravi.

Tout journal satirique, sous quelque régime que ce soit, est donc nécessairement un journal révolutionnaire, parce qu'il donne au peuple un très vif sentiment de l'infériorité de ses gouvernants.

Le rire que provoquent ces sortes de journaux n'est donc pas le rire *positif* : beaucoup de leurs lecteurs, aigris par la misère des temps que nous vivons, ne songent guère à leur supériorité, mais uniquement à l'infériorité des personnages mis en cause. L'idée que le riche banquier est sur le point de faire faillite, que le saint évêque a une maîtresse, ou que le célèbre ténor est cocu, cette idée charme la foule, et les rires qu'elle provoque ont le caractère d'une revanche.

Il est possible aussi de soutenir que ces journaux apaisent la colère du peuple, parce qu'ils diminuent l'idée qu'il se faisait du bonheur des grands, et qu'ils tempèrent l'envie et la haine par une nuance de mépris ou même, en certains cas, de pitié.

Lemoine, Œdipe et Charlot

Mon ami Lemoine, philosophe, habitait dans une maison de la rue Blanche une petite chambre voisine de la mienne. A la suite d'un accident, il avait une jambe plus courte que l'autre : sa gaieté n'en souffrait pas. Un soir, il frappa violemment à la cloison, à plusieurs reprises. Je compris que c'était une convocation urgente, et je me hâtai.

Il était debout au milieu de sa chambre, immobile et grave. Il dit : « Regarde-moi. » Je le regardai, et j'attendis la suite.

— Je suis, dit-il, au théâtre : je vois jouer *Œdipe roi* par Mounet-Sully.

Il se laissa descendre sur sa petite jambe, voûta son dos, et, au-dessus de ses avant-bras croisés devant son visage, il regarda le plafond, d'un regard qui frôlait son front.

Il chuchota tragiquement : « Totopopoï! Totopopoï! »

Il ajouta enfin : « Je suis une foule femelle. » Puis il quitta sa pose, et remonta brusquement sur sa jambe la plus longue.

— J'assiste maintenant à un film de Charlot, dit-il.

Il mit ses mains dans ses poches, rejeta son menton en avant, et, en regardant le sol, il s'écria :

— Oh! qu'est-ce qu'il prend comme coups de pied dans les fesses !

En riant bruyamment, il suivit des yeux la déroute de l'humble petit bonhomme, et dit :

— Je suis une foule mâle.

Après un silence, il ajouta :

— Tu as compris. Va te coucher. J'ai du travail.

Et il me mit à la porte avec quelques vœux sincères et généreux, mais obscènes.

La théorie de mon ami le philosophe nous aidera à comprendre, au théâtre, le mécanisme de l' « emboîtage d'un comédien ».

S'il est vrai, en effet, que devant Œdipe, le génie de Sophocle et celui de Mounet-Sully me bouleversent, l'admiration, l'émotion, la crainte me dominent et me paralysent. Je suis femelle. Mais, quoique je sois venu tout exprès, je n'aime pas beaucoup être femelle. Il y a quelque chose en moi qui est tout prêt à se révolter – et qui n'attend qu'une occasion. Que l'admirable Mounet glisse et tombe, que son épée lui échappe des mains, ou qu'un figurant perde sa perruque, et tout aussitôt le mâle qui est en moi prend sa revanche par de grands éclats de rire. Ces gens-là qui me faisaient peur, je les déclare bruyamment inférieurs à moi. A moi, être supérieur à tout. Cette vanité ridicule, et qui a besoin de se manifester, est indispensable à la vie, parce qu'elle est la base même de l'instinct de conservation.

7.

La pitié et la peur

Un lecteur philanthrope pourrait présenter ici une puissante objection.

« Ainsi, dirait-il, le rire est la caractéristique de l'homme, et, selon vous, le rire ne serait que l'expression vaniteuse d'une supériorité ou la constatation féroce de l'infériorité d'un autre. Mais nous savons bien qu'il y a des supériorités qui ne nous font pas rire, et des infériorités qui nous tirent les larmes des yeux : l'homme a d'autres sentiments que la vanité ou la jalousie. »

Je suis d'accord avec mon lecteur; ce chapitre prétend lui répondre.

Deux sentiments arrêtent le rire : la pitié, et sa cousine blême, la peur.

Avoir pitié, c'est se sentir égal à une autre créature humaine, qui souffre, et dont nous redoutons le sort pour nous-mêmes, parce que nous sentons, à ce moment-là, que nous sommes de la même espèce et que nous n'avons sur elle aucune supériorité, du moins en ce qui concerne le malheur précis qui excite notre pitié et qui nous menace nous-mêmes.

Ainsi, tous les fonctionnaires seront touchés par le malheur d'un instituteur, père de famille qui, le 31 décembre, alors qu'il portait son mois dans sa poche, a été volé par un pickpocket.

Si nous apprenons que tel milliardaire américain, par un coup immérité du sort, vient de perdre cent millions de dollars et qu'il s'est suicidé, en laissant une famille ruinée, ce malheur n'excitera chez nous aucune pitié, pour la simple raison qu'aucun de nous ne court le risque de perdre cent millions de dollars.

Cependant il ne faut point mépriser la pitié : égoïste par ses causes, elle est belle et noble dans ses conséquences. Elle est, comme le rire, le propre de l'homme, et le rire s'arrête où la pitié commence.

Voici le mécanisme de ce passage.

Devant moi, un homme vaniteux dégringole à grand bruit, cul par-dessus tête, un escalier de bois.

Je ris, d'un rire complet. Moi, je ne suis pas tombé : j'ai de bons jarrets, je suis maître de mes mouvements, je sais descendre cet escalier. Je suis content de moi.

De plus, c'est lui qui est tombé, lui qui, tout à l'heure, bombait le torse et nous parlait du haut de sa grandeur. Je suis charmé de sa dégringolade.

Je descends rapidement l'escalier pour assister à son humiliation.

Mais il n'est pas humilié du tout. Il ne bouge plus, il ne dit rien, il souffle bruyamment, avec des bulles de salive : il a une fracture de la colonne vertébrale.

Je ne ris plus du tout.

Moi aussi, j'ai une colonne vertébrale, aussi fragile que la sienne; moi aussi, il peut m'arriver de râler, il peut m'arriver de mourir. Qui sont ces imbéciles que j'entends rire en haut de l'escalier?

Je suis envahi d'une grande pitié, je m'attendris sur le malheur de mon semblable, c'est-à-dire sur moi-même. (« Ce que c'est que de nous », dit-on devant un mort. On ne dit pas : « Ce que c'était que de lui. »)

La pitié, c'est la forme tendre de la peur : c'est la peur des intelligents, des imaginatifs, des prévoyants.

L'exemple que nous venons de citer est d'une brutalité pédagogique.

Dans la vie, la frontière qui sépare le rire de la pitié est bien rarement aussi nette, et il existe, entre les deux, ce que les douaniers appellent une zone franche.

De plus, et pour un même événement qui fera passer le rieur du rire à la pitié, la frontière n'est pas atteinte au même instant par tous les rieurs.

Il y aura des gens qui continueront à rire quand d'autres commenceront à pleurer.

Le plus intelligent, c'est celui qui cessera de rire le premier. Celui qui rira le dernier sera certainement le plus bête.

A moins qu'il n'ait une raison personnelle qui prolonge son rire.

Par exemple, j'ai connu un nigaud prétentieux à qui une petite bande d'amis faisait toutes sortes de farces, qui dépassaient souvent la mesure et le bon goût. Le nigaud en fut presque malade. Il ne nous fit plus rire, et nous abandonnâmes le jeu.

Seul, l'un d'entre nous continua, et parut prendre un plaisir extrême à combiner des mystifications d'une véritable cruauté.

C'était un homme intelligent, et pourtant il nous racontait ses méfaits en riant de bon cœur, et très sincèrement.

J'ai appris depuis que le nigaud avait été l'amant de sa femme, et qu'il le savait : le rieur riait du rire négatif qui est féroce, et qui se nourrit du malheur du moqué.

La pitié est donc l'ennemie du vrai rire, parce que, naissant des mêmes causes, elle le remplace dès qu'elle naît.

L'autre ennemie du rire, c'est la peur.

La peur, c'est l'aveu tremblant de notre infériorité devant un autre homme, devant une bête féroce ou, plus vaguement, devant les circonstances.

La victoire de la peur sur le rire est beaucoup plus rapide que celle de la pitié : elle est instantanée.

Le langage exprime fort clairement l'antagonisme du rire et de la peur. (Je n'avais pas envie de rire. Je ris de vos menaces, etc.)

Risquons ici, pour confirmer notre thèse, un syllogisme.

La peur exprime un sentiment d'infériorité.

Or la peur est le contraire du rire.

Donc le rire exprime un sentiment de supériorité.

Il est possible d'imaginer un ballet conçu sur le thème suivant :

Deux amants cueillent des fleurs dans un jardin antique.

Survient un homme, qui porte sur le visage un masque grotesque : un nez énorme, l'oreille en chou-fleur, le front tuméfié, les yeux presque fermés : rire et danse joyeuse.

Soudain, le masque s'effondre en gémissant. Les danseurs s'approchent, le touchent : ce n'est pas un masque, c'est son visage : il souffre horriblement. Peut-être a-t-il été piqué par un essaim d'abeilles?

On lui baigne le visage d'eau pure, on caresse la face grotesque. Danse de la pitié.

Le malheureux revient à lui. Il murmure : « Ne me touchez pas, je suis lépreux. »

Danse de la peur, qui n'est d'ailleurs qu'une fuite éperdue.

On peut aussi commencer par la fin, ce qui donnerait un autre ballet, également cohérent.

Je ne préconise point la réalisation immédiate de ce morceau chorégraphique : ce n'est qu'une illustration de notre thèse. Elle montre qu'un même objet peut inspirer ces trois sentiments, et que ce n'est pas l'objet en soi qui compte, mais l'idée que nous en avons, et les rapports de l'objet avec nous-mêmes.

Conséquences

Voici enfin quelques observations qui nous semblent importantes.

Nous espérons avoir démontré que le rire naît d'une comparaison entre le rieur et un autre homme – c'est-à-dire qu'il est le résultat physique d'une opération intellectuelle, qui est *l'établissement d'un rapport*.

Or, la capacité d'établir des rapports, c'est la définition même de la raison : c'est pourquoi rire est le propre de l'homme.

D'autre part, il semble que les animaux ne soient pas totalement dépourvus de raison : il est certain qu'ils saisissent fort nettement un rapport : celui qui oppose leur être au monde extérieur.

Ainsi, lorsqu'une grande joie, ou plutôt un grand bien-être l'envahit, l'animal se sent supérieur à tout ce qui l'entoure, et il rit à sa manière.

Le chant du coq n'est certainement pas le chant de triomphe d'un chef qui croit avoir fait renaître le soleil. C'est peut-être un éclat de rire, qui salue le retour de la lumière protectrice, la fin des affres de la nuit, la fuite des hiboux, la résurrection de l'oiseau lui-même.

Le chant du rossignol, au temps des amours, n'est peut-être que le rire bienheureux des jeunes mariés. Il est remarquable que toutes les bêtes en rut, c'est-à-dire prêtes à créer de la vie, émettent des sons spéciaux, qui ne sont peut-être que le rire des animaux. Rire peu fréquent et peu varié, à la mesure de leur intelligence.

L'idée que le rire naît d'un rapport entre l'homme que nous croyons être et notre jugement d'un autre homme nous semble riche en conséquences.

Tout d'abord, elle explique pourquoi nous ne rions pas tous des mêmes faits comiques.

Usons ici d'un procédé de mesure simple et barbare, mais clair.

Supposons que l'échelle des valeurs humaines aille de 1 à 100, et que je m'attribue (à tort ou à raison, mais plus souvent à tort) une valeur de 61.

Les mésaventures de 27 ou de 34 ne me feront pas rire aux éclats : je n'ai pas besoin de me prouver ma supériorité sur eux : je l'ai depuis longtemps constatée et je n'ai jamais eu le moindre doute à ce sujet.

En revanche, 12 et 14 seront charmés des erreurs et des gaffes de 31, et prendront un plaisir extrême aux bévues de 42, qui me laissent froid, moi 61.

Il y a certainement des actes comiques qui font rire toute une salle. Nous avons dit plus haut que c'étaient ceux qui naissent de l'exercice ou du dérèglement des fonctions naturelles et animales devant lesquelles nous sommes tous égaux.

Mais, tout d'abord, il convient de remarquer que chaque rieur rit à sa façon, qu'il rit plus ou moins violemment et que cet éclat de rire général est fait de mille rires particuliers, tous différents les uns des autres. D'autre part, un examen attentif nous permettrait de découvrir une vingtaine de spectateurs qui n'ont pas ri, plus de cent qui ont à peine souri, et deux ou trois qui ont ri de la sottise des rieurs.

Il devient donc très évident que le rire est un fait personnel.

Il est non moins évident que le rire est la mesure du rieur.

En effet, quand on connaît l'un des termes d'un rapport simple (la cause du rire) et le résultat de l'opération intellectuelle qui a résolu le rapport (le rire, dont la durée et l'intensité sont appréciables), il est facile de calculer exactement le second terme du rapport, c'est-à-dire la personnalité du rieur.

Nous résumerons ce raisonnement dans une formule qui sera la conclusion de ces notes :

« Dis-moi de quoi tu ris, et je te dirai qui tu es. »

CRITIQUE
DES CRITIQUES

1944-1948

A mon ami fraternel Roger-Ferdinand

En souvenir de nos luttes communes
contre l'ignorance, l'injustice, le snobisme, et l'envie.

Noël 1948

1.

LA critique parle souvent des auteurs. C'est même sa seule raison d'être. Mais personne ne parle jamais des critiques, même pour chanter leurs louanges.

Je voudrais prendre ici la liberté de leur dire ce que je pense d'eux, et de leurs œuvres de critiques; je voudrais leur montrer le rôle qu'ils jouent, et le bien ou le mal qu'ils ont fait, ou qu'ils peuvent faire.

J'écrirai d'eux aussi librement qu'ils écrivent de nous, c'est-à-dire sans ménagement d'aucune sorte.

Les vrais critiques d'autrefois usaient déjà d'une très grande liberté : voici quelques lignes de Lucien Dubech, à propos de *Malbrough s'en va en guerre,* la pièce adorable de Marcel Achard (21 décembre 1924) :

« Monsieur Marcel Achard, la dernière coqueluche de cet absurde public des répétitions générales, n'est pas sans présenter quelques petites qualités. Un assez joli style léger et transparent, dont on dirait qu'il n'alourdit pas la pensée s'il y avait une pensée chez monsieur Achard, mais qui en laisse trembloter le peu qu'il y en a, comme une chandelle, à travers la vitre translucide d'une lanterne... Comme pitre, nous ne contestons pas ses talents... comme écrivain, c'est une autre affaire. Monsieur Marcel Achard a donné sa mesure : un petit farceur assez roublard, un de ces êtres qui semblent avoir pour triste destin de faire rire en recevant des coups de pied quelque part. »

Nous pourrions citer bien d'autres jugements de Pierre Brisson, ou de Robert Kemp, ou de Paul Léautaud : mais nous devons loyalement reconnaître ici que leurs diatribes étaient écrites en bon français, et que leur mauvaise humeur n'était que très petite bière auprès des insultes et des offenses qui forment la substance de la critique d'aujourd'hui.

Il est assez surprenant, en effet, de voir certains de nos censeurs s'en prendre publiquement aux disgrâces physiques d'un auteur ou d'un comédien, et imprimer, dans de vrais journaux, que l'un est bossu, que l'autre est sourd, et (comble de la délicatesse) que sa femme est aussi sourde que lui. Enfin, à propos de la pièce récente d'un auteur à succès, un « critique » a terminé son article par ces mots : « Si monsieur X... gagne encore de l'argent avec ça, alors, merde. » Malgré la loyauté de cet aveu, et sa simplicité familière, il ne nous semble pas relever de la critique dramatique, ou du moins de l'idée que nous en avons.

Nous n'userons pas, contre les critiques, d'un tel langage.

Nous ne parlerons ni de leurs infirmités, s'ils en ont, ni de leurs femmes, que nous respectons sans les connaître. Enfin, nous ne leur reprocherons pas de gagner trop d'argent. D'abord, parce que nous serions charmés d'apprendre qu'ils en gagnent beaucoup; ensuite, parce que cette question d'argent n'a point sa place dans la querelle que nous allons commencer.

2.

LA profession de critique est certainement l'une des plus anciennes : de tous les temps, il y eut des gens incapables d'agir ou de créer, qui se donnèrent pour tâche, et le plus sérieusement du monde, de juger les actions et les œuvres des autres.

Les autres – c'est-à-dire les auteurs – n'ont jamais aimé les critiques. Le grand reproche qu'ils leur font souvent, c'est d'être leurs frères stériles : mais cette réponse n'est pas convenante.

Tout d'abord, il est possible qu'un impuissant écrive un très beau livre sur la sexualité féminine, ou qu'un cul-de-jatte soit un grand expert de course à pied.

Il est même vraisemblable que ces anormaux, l'esprit sans cesse occupé par ce qui leur manque, et tout chauds d'un désir éternellement inassouvi, aient une intelligence merveilleuse d'un sujet qu'ils voient à travers leur malheur, comme à travers un verre grossissant.

J'ai connu, il n'y a pas si longtemps, un écrivain qui avait l'intelligence, la malice et la bonté de l'éléphant : il en avait aussi le poids. André Levinson n'était certes pas impotent : mais il était si lourd, et ses jambes étaient si petites, qu'il faisait un grand sourire dès qu'il pouvait enfin s'asseoir. Cet homme massif, irrémédiablement attaché au sol, fut – et reste – notre plus grand critique de la danse.

Nul n'a compris, senti, dirigé, aussi bien que lui les bonds et les envols des ballerines. Nul n'a su parler aussi clairement du style, du rythme, de la grâce. La danse classique d'aujourd'hui lui doit presque tout.

C'est pourquoi je refuse de poser au critique la question *ad hominem*. Je ne veux pas lui demander : « Pouvez-vous en faire autant ? » Il n'est pas nécessaire de savoir « en faire autant » pour avoir le droit de dire que l'auteur aurait pu faire mieux.

D'autre part, même si la critique se trompe, ses observations, quoique impertinentes, ne seront jamais inutiles. Il est nécessaire que le poète soit aiguillonné; il ne faut pas que, selon la merveilleuse expression populaire, « il s'endorme sur ses lauriers ».

Il faut que les frelons de la critique le réveillent, et que leurs irritantes piqûres le forcent à examiner son œuvre : presque toujours, en recherchant une erreur qu'il n'a pas commise et que les censeurs lui reprochent, il verra soudain luire des fautes dont nul n'a parlé, et fera son profit de ses propres découvertes.

Ainsi, la critique, même si elle est exercée par des impuissants ou des sots, est non seulement utile, mais indispensable aux artistes créateurs.

Il y eut d'ailleurs, au cours des siècles, un grand nombre de critiques qui furent des gens de goût, et de véritables écrivains : nous verrons plus loin que notre époque n'en manque pas.

L'influence de la critique sur la pensée des auteurs n'a jamais été décisive, mais sa puissance temporelle fut, à certaines époques, si grande qu'elle a pu écraser des chefs-d'œuvre, dans le moment même où elle imposait au public des ouvrages sans valeur...

Cette terrible efficacité peut être aisément expliquée.

Les grands succès de Molière, de Corneille, de Racine eurent, à leurs débuts, de vingt à quarante représentations. Il est donc certain que le public – celui qui fait l'échec ou la réussite d'une œuvre dramatique – comprenait environ quinze mille personnes, toujours les mêmes.

On a beaucoup parlé du parterre, qui sifflait ou applaudissait bruyamment, et avait, en somme, les réactions du vrai public; mais il est clair que le parterre, qui pouvait peut-être assurer la réputation d'un ouvrage, n'avait pas les moyens d'en faire un succès.

Alors que la recette totale d'un théâtre atteignait parfois quatre mille livres, la recette du parterre ne dépassait pas six cents livres. Or, les comédiens étaient pauvres, et souvent chargés de famille : ils ne pouvaient jouer longtemps sans une recette convenable : le parterre ne suffisait pas pour les soutenir.

Le public vraiment payant, c'était la cour, les salons, la magistrature, les écrivains : ces gens étaient sensibles à la critique, même parlée; ils obéissaient inconsciemment à la mode, aux snobismes de l'époque, et même aux cabales. Nous en avons un grand nombre de preuves.

On connaît la querelle du *Cid.*

On sait comment, sur l'ordre d'un ministre, une sorte de Commission supérieure de la Critique rédigea un mémoire imbécile, à seule fin de décourager Pierre Corneille. Le guet-apens joua trop tard : *Le Cid* était déjà passé.

On connaît aussi l'échec de la *Phèdre* de Racine, écrasée par celle de Pradon.

La critique avait organisé le naufrage du chef-d'œuvre; elle imposa – momentanément – l'œuvre médiocre. Jean Racine, frappé au cœur, renonçait à son art et s'enfermait dans un silence de douze années... Certes, *Phèdre* a repris sa place. Mais les avorteurs de cette époque ont certainement empêché de naître les plus belles tragédies de Racine, celles dont les douze trônes vides ne sont marqués que d'un millésime, entre *Phèdre* et *Athalie*, ces deux sommets de l'art dramatique.

De tous les exploits de la critique, voilà peut-être le plus remarquable, et certainement le plus affreux.

Il y aurait un très gros livre à écrire sur ses erreurs, ses méfaits et sa façon hypocrite de fuir ses responsabilités : chaque fois qu'une œuvre éclatante a été méconnue par ses contemporains, les critiques de la génération suivante ont accusé le mauvais goût et la sottise du public de l'époque précédente. Il est bien facile de démontrer que ce public a été détourné de l'œuvre méconnue par les railleries ou le silence de la critique, qui était son guide et sa lanterne.

Si les lecteurs de 1830 n'ont pas connu Stendhal, c'est parce que la critique l'a ignoré.

Comment reprocher à un bourgeois de Lyon ou de Brest de n'avoir pas découvert cet authentique génie français, alors que les censeurs, dont c'était le métier, ne citaient même pas son nom?

De même, le foudroyant insuccès de l'opéra *Carmen* est dû à la seule critique, puisque le chef-d'œuvre de Bizet s'effondra dès la première représentation; c'est-à-dire que le directeur, les chanteurs, les musiciens et l'auteur lui-même crurent à leur défaite sans avoir livré la bataille et que l'opéra quitta la scène avant l'arrivée du public.

D'autre part, c'est au seul public que revient l'honneur d'avoir remis à leur vraie place Racine, Stendhal et Bizet.

C'est contre les décisions de ce public, devenu plus nombreux et plus puissant, que la critique usa d'une arme ignoble, mais efficace.

Lorsque le succès d'une œuvre s'affirmait contre son gré, elle en appelait à la censure, c'est-à-dire à la force armée. Les critiques se voilaient la face, parlaient d'« outrages aux bonnes mœurs », ou d'« atteinte à la sûreté de l'Etat », ou d'« insultes à l'armée », ou, plus simplement, de « sacrilège ». Toutes les interdictions d'œuvres théâtrales et littéraires, prononcées par nos rois et nos ministres, l'ont été à l'instigation de la critique, enragée contre des écrivains qui avaient pour eux le public.

Cependant les auteurs, malmenés et parfois diffamés, n'acceptèrent point en silence les mépris de leurs juges. Molière, qui est presque notre saint, souffrit cruellement de leurs atteintes, mais il feignait de sourire, quand il leur répondait ainsi :

« Lorsqu'on attaque une pièce qui a eu du succès, n'est-ce pas attaquer plutôt le jugement de ceux qui l'ont approuvée, que l'art de celui qui l'a faite? C'est une étrange chose que vous condamniez toujours les pièces où tout le monde court, et ne disiez jamais de bien que de celles où personne ne va!

. . . .

« Le plus grand mal que je leur aie fait, c'est de plaire un peu plus qu'ils n'auraient voulu... Ils critiquent mes pièces : tant mieux – et Dieu me garde d'en faire jamais qui leur plaise : ce serait une mauvaise affaire pour moi. »

Racine, avant l'échec de *Phèdre,* fit précéder *Bérénice* d'une préface polie, mais féroce, par laquelle il exécuta l'abbé de Villars.

« Que répondrois-je à un homme qui ne pense rien, et qui ne sait pas même construire ce qu'il pense? Il parle de " protase " comme s'il entendoit ce mot, et veut que cette première des quatre parties de la tragédie soit toujours la plus proche de la catastrophe. Il se plaint que la trop grande " connoissance des règles l'enpesche de se divertir à la comédie ". Certainement, si l'on juge par sa dissertation, il n'y eut jamais de plainte plus mal fondée... Mais je lui pardonne de ne pas sçavoir les règles du théâtre puis qu'heureusement pour le public ne s'applique pas à ce genre d'écrire...

. . . .

« Toutes ces critiques sont le partage de quatre ou cinq petits auteurs infortunez qui n'ont jamais pu par eux-mêmes exciter la curiosité du public. Ils attendent toujours l'occasion de quelque ouvrage qui réussisse pour l'attaquer : non point par jalousie, car sur quel fondement seraient-ils jaloux? Mais dans l'espérance qu'on se donnera la peine de leur répondre, et qu'on les tirera de l'obscurité où leurs propres ouvrages les auroient laissez toute leur vie. »

Vigny lui-même, le plus noble et le plus serein des poètes, décrivait ainsi les critiques :

« Race d'hommes au cœur sec, armés de pinces et de griffes... »

Mais il serait fastidieux – et d'ailleurs impossible – de citer ici toutes les ripostes des auteurs tyrannisés. Il me semble préférable de mettre sous les yeux du lecteur quelques pages de Théophile Gautier, le « bon Théo » lui-même. Elles sont extraites de la préface de *Mademoiselle Maupin,* et elles semblent résumer le débat.

« Il est douloureux de voir un autre s'asseoir au banquet où l'on n'est pas invité, et coucher avec la femme qui n'a pas voulu de vous. Je plains de tout mon cœur le pauvre eunuque obligé d'assister aux ébats du Grand Seigneur.

« Il est admis dans les profondeurs les plus secrètes de l'Oda; il mène les sultanes au bain; il voit luire sous l'eau d'argent des grands réservoirs ces beaux corps tout ruisselants de perles et plus polis que des agates; les beautés les plus cachées lui apparaissent sans voiles. On ne se gêne pas devant lui. C'est un eunuque. Le sultan caresse sa favorite en sa présence, et la baise sur sa bouche de grenade. En vérité, c'est une bien fausse situation que la sienne, et il doit être embarrassé de sa contenance.

« Il en est de même pour le critique qui voit le poète se promener dans le jardin de poésie avec ses neuf belles odalisques, et s'ébattre paresseusement à l'ombre de grands lauriers verts. Il est bien difficile qu'il ne ramasse pas les pierres du grand chemin pour les lui jeter et le blesser derrière son mur, s'il est assez adroit pour cela. Le critique qui n'a rien produit est un lâche, c'est comme un abbé qui courtise la femme d'un laïque : celui-ci ne peut lui rendre la pareille, ni se battre avec lui.

. . . .

« Les auteurs endurent cela avec une magnanimité, une longanimité qui me paraît vraiment inconcevable. Quels sont donc, au bout du compte, ces critiques au ton si tranchant, à la parole si brève, que l'on croirait les vrais fils des dieux? Ce sont tout bonnement des hommes avec qui nous avons été au collège, et à qui évidemment leurs études ont moins profité qu'à nous, puisqu'ils n'ont produit aucun ouvrage et ne peuvent faire autre chose que conchier et gâter ceux des autres comme de véritables stryges stymphalides.

. . . .

« Ne serait-ce pas quelque chose à faire que la critique des critiques? Car ces grands dégoûtés, qui font tant les superbes et les difficiles, sont loin d'avoir l'infaillibilité de notre Saint-Père. Il y aurait de quoi remplir un journal quotidien et du plus grand format. Leurs bévues historiques ou autres, leurs citations controuvées, leurs fautes de français, leurs plagiats, leur radotage, leurs plaisanteries rebattues et de mauvais goût, leur pauvreté d'idées, leur manque d'intelligence et de tact, leur ignorance des choses les plus simples qui leur fait volontiers prendre le Pirée pour un homme et monsieur Delaroche pour un peintre, fourniraient amplement aux auteurs de quoi prendre leur revanche sans autre travail que de souligner les passages au crayon et de les reproduire textuellement, car on ne reçoit pas avec le brevet de critique le brevet de grand écrivain, et il ne suffit pas de reprocher aux autres des fautes de langage ou de goût pour n'en point faire soi-même; nos critiques le prouvent tous les jours. Que si Chateaubriand, Lamartine et d'autres gens comme cela faisaient de la critique, je comprendrais qu'on se mît à genoux et qu'on adorât, mais que messieurs Z..., K..., Y..., V..., Q..., X..., ou telle autre lettre de l'alphabet entre A et W, fassent les petits Quintiliens et vous gourmandent au nom de la morale et de la belle littérature, c'est ce qui me révolte toujours et me fait entrer en des fureurs non pareilles. »

En 1920, dans la préface du *Phalène,* Henry Bataille imprima quelques-unes de ces phrases virulentes. Il les cita passionnément, avec un rire satanique, et les prit à son compte avec une véritable joie. Or, il nous semble aujourd'hui que le pamphlet du « bon Théo » contient plus de rancune que de sens critique, et plus de colère que de mépris. Certes, les injures du poète ne sont pas toutes imméritées, mais elles prouvent surtout qu'à son époque la critique avait une importance, et que ses avis pesaient d'un grand poids.

Or, il n'est pas un seul écrivain d'aujourd'hui qui porte dans son sein d'aussi féroces rancœurs. Les auteurs dramatiques aiment toujours les voix mélodieuses de la louange. Mais les « éreintements » ne leur laissent jamais un souvenir ineffaçable; après quelques paroles indignées et souvent injurieuses, ils oublient jusqu'au nom du censeur, et leur succès ne s'en porte pas plus mal.

Ce pardon généreux n'est pourtant pas une vertu nouvelle, un mérite spécial des écrivains de notre temps; il prouve simplement que la critique a perdu sa force d'autrefois, et qu'elle n'a plus aucun effet sur la réussite d'une œuvre, d'un dramaturge ou d'un romancier.

3.

ET tout d'abord la critique d'aujourd'hui peut-elle imposer une pièce qui lui plaît?

Nous savons déjà, par une expérience de plus de deux siècles, qu'elle n'a pu faire aimer Pradon. Plus près de nous, le cas d'Henry Becque est d'une éblouissante clarté.

La Parisienne n'a jamais pu obtenir qu'un demi-succès, malgré sa valeur, malgré la coalition des grands critiques, et quoiqu'elle ait toujours été soutenue, sur la même affiche, par des pièces à succès, comme *Les Gaîtés de l'escadron* (Courteline), *Blanchette* (Brieux), *Mais n'te promène donc pas toute nue* (Feydeau).

Nous n'avons pas le temps d'expliquer ici les causes de cet insuccès persistant; nous le constatons à regret, mais avec franchise. Il prouve de façon éclatante que la critique, longuement coalisée pendant soixante ans, n'a pu imposer au public le noble théâtre de Becque.

Etudions maintenant l'autre aspect du problème : cette critique, dont l'action bienfaisante est si limitée, a-t-elle gardé son pouvoir de nuire? Peut-elle encore tuer une œuvre, ne fût-ce que momentanément?

Nous savons bien qu'après *Phèdre*, elle fit tomber *Faust* et *Carmen*. Mais son crime – aussi grave par ses intentions et par son infamante bêtise que le crime contre Racine – n'eut pas de résultat durable. Nous n'avons à regretter que la déception cuisante, mais brève, de Gounod et de Bizet.

L'affaire Georges Ohnet, par contre, nous semble beaucoup plus significative.

C'est en 1882 qu'un roman intitulé *Le Maître de forges* parut en librairie. L'œuvre semblait n'avoir aucune prétention, elle ne fut pas lancée à grand bruit : elle connut pourtant, en quelques mois, un succès comparable à ceux du grand Dickens, en Angleterre.

Le style de Georges Ohnet n'était pas digne d'un grand écrivain : et la preuve c'est qu'il a vieilli. Certaines phrases sont aujourd'hui si ridicules qu'on est tenté de croire qu'elles l'ont toujours été.

Mais la conception du roman, la démarche de l'action, la peinture des personnages font la grande valeur de cette œuvre; nous allons même demander au lecteur s'il ne serait pas juste de la considérer, sinon comme une prophétie, du moins comme un pressentiment des temps que nous vivons.

En effet, pour la première fois, un roman mettait en scène l'ingénieur, le technicien du fer et de l'acier : il en faisait non point un comparse, mais le protagoniste, l'amoureux, le vainqueur, le héros. C'est un événement d'une grande importance, et qui mérite une digression.

Dans tous les pays et dans tous les temps, il y eut toujours une caste – ou une classe – qui s'arrogea des privilèges, exigea des honneurs, exerça le pouvoir.

Il est facile de constater que cette noblesse fut toujours d'origine militaire. Ce n'est pas pour rien que les blasons s'appellent aussi des « armes ». L'un avait tué dix ennemis, l'autre trente, le troisième avait mis en fuite un détachement, et non pas par des conversations : ainsi un titre récompensait le courage, la force et l'adresse, qui étaient, dans les combats d'autrefois, les moyens les plus efficaces.

C'est pourquoi la noblesse de l'Empire me semble aussi légitime que celle de la royauté, parce que ces généraux furent faits ducs ou princes au soir d'une victoire, sur le champ de bataille.

Mais, avec le temps, la force physique perdit la première toute sa valeur. C'est avec l'index tout seul que l'on appuie sur une gâchette. Puis, l'adresse fut remplacée par des appareils de visée. Enfin, l'utilité du courage a toujours été exactement proportionnelle à la distance qui sépare les combattants. C'est dire que, dans la prochaine guerre, seuls les vaincus, avant de mourir, pourront faire preuve de courage, s'ils en ont le temps.

C'est dire aussi que les représentants actuels de la vraie noblesse – même ceux qui ont gardé les vertus de leurs grands ancêtres – n'auraient plus aucune chance d'être anoblis, et qu'ils ne pourraient manifester leurs supériorités – courage, adresse, force – que dans un ring de boxe, ou dans un tournoi d'épée, ou dans les poids et haltères, ou dans la police.

Ou alors, dans la plus haute et la plus blanche forme que l'humanité puisse revêtir : Le Père de

Foucauld, ou Thierry de Martel. Mais ceux-là furent trop grands pour qu'on puisse en parler dans un livre ordinaire. Redescendons à notre propos.

C'est avec la mousqueterie et l'artillerie que commença la guerre des ingénieurs.

Il est surprenant de penser qu'au temps de Jules César, il y avait du charbon, du fer, et du salpêtre sur les murs des caves. Il n'eût pas été difficile de fabriquer un fusil Chassepot, qui, à lui tout seul, eût reconduit les légions romaines jusqu'au Rubicon, que César eût franchi le premier et sans la moindre hésitation.

De même, si Napoléon avait possédé un seul canon de 75, il eût détruit en moins d'une heure la flotte anglaise de Trafalgar, et la face du monde en eût été changée.

Mais ni César ni Napoléon ne furent aidés par les ingénieurs de leur temps : leur fin le prouve.

D'ailleurs, il n'y avait pas d'ingénieurs. Il y avait des inventeurs isolés, et en général délirants, assez proches parents des devins et des escrocs.

Il n'y avait pas encore cette cohorte compacte, ce fleuve étincelant et noir qui sort chaque année, comme des portes d'une écluse, de l'Ecole polytechnique, de l'Ecole centrale, et de quelques grandes écoles du monde. Il n'y avait pas cet effort continu d'une science organisée, qui fait que le moins intelligent de nos ingénieurs peut apporter une pierre éternelle à l'édifice commun : il n'y avait pas d'ingénieurs.

Ce sont ces jeunes gens qui firent la seconde révolution, moins rapide, mais plus profonde que la première.

Les uns en France, les autres dans les pays neufs,

ils mirent au point la technique des mines, des forges, des aciéries... Ils ouvrirent les premiers laboratoires; ils fondèrent l'électricité; ils inventèrent le moteur à essence; ils mirent au point la machine à vapeur. A l'époque de Georges Ohnet, ils n'avaient pas encore donné au monde le téléphone, l'automobile, l'aviation, la radio, et tant d'autres miracles. Mais on osait déjà dire que le courage des officiers de cavalerie ne servait à rien, que la rapidité de tir d'un fusil valait mille héros, et que le génie d'un stratège ne pouvait rien contre un meilleur traitement des aciers.

La vieille noblesse française, cette caste qui avait eu si longtemps la puissance militaire, politique, judiciaire et financière, gardait encore, en 1882, une influence considérable.

Elle regarda d'abord, avec un mépris sincère, cette nouvelle caste, qui grandissait en même temps que la tour Eiffel.

Elle fut ensuite surprise, puis effrayée. Malgré d'encourageants pronostics, la tour Eiffel ne tombait pas.

Alors toute la droite, d'une seule voix, se mit à proclamer la faillite de la science, dans l'espoir de la provoquer. Mais la science n'est pas une banque, et de simples rumeurs ne la font pas sauter. Elle continua d'avancer, de son pas tranquille et puissant, de ce pas qui fraie ses propres routes sous les pieds de fer des maîtres de forges.

Avant de revenir aux héros de Georges Ohnet, voyons où nous en sommes aujourd'hui, soixante ans plus tard.

Au Moyen Age, le château fort à pont-levis régnait sur toute une province. Derrière les hautes murailles, il y avait des hommes invincibles, ceux qui possédaient la masse d'armes, la lance, l'épée, les armures. Les manants, courbés dans la plaine, regardaient avec respect la forteresse où le seigneur, entouré de ses vassaux, donnait des fêtes, donnait des ordres, préparait des guerres.

Aujourd'hui, il y a la forteresse immense d'Oakridge, où les nouveaux rois de l'Ouest, maîtres de la puissance militaire, – et, par conséquent, politique et financière, – vivent entourés de leurs grands vassaux, princes de la science. Ils ne font plus de lances ni d'armures : après moins d'un siècle d'efforts, ils ont fabriqué l'œil magique qui peut suivre le vol d'une chauve-souris de l'autre côté de la terre, ils ont forgé l'épée flamboyante, celle dont parle l'Apocalypse, celle qui tue par son seul éclat.

Il faut se méfier des ingénieurs : ça commence par la machine à coudre, ça finit par la bombe atomique.

Nous avons ri du roi du pétrole, du roi du charbon, du roi de l'acier. Nous avions tort, c'étaient de vrais rois, entourés de vrais princes et de vrais seigneurs.

Ce sont eux qui ont vaincu l'Allemagne; ils pourront demain supprimer un peuple et les conférences de leurs ingénieurs sont mille fois plus importantes que ne fut, à son époque, le conseil privé du grand Louis XIV.

Voici maintenant une histoire que j'invente, mais que je crois rigoureusement exacte : car, si cette aventure n'est pas encore arrivée, elle arrivera certainement.

Les physiciennes qui travaillent à Oakridge, cité de

la bombe atomique, ne sont plus de très jeunes filles.

Cependant l'une d'entre elles, ayant obtenu huit jours de vacances, en revint court vêtue, rasée de près, et maquillée. Comme l'une de ses collègues – vouée au plutonium 840 – s'en étonnait, elle avoua en rougissant qu'un jeune enseigne de vaisseau, venu de l'Est, avait réussi, par des sérénades et des paroles survoltées, à provoquer une réaction en chaîne de ses sentiments, et qu'il en avait réussi la fission.

Elle avait donc résolu de l'épouser. Mais ça ne se passa pas du tout comme chez les roturiers que nous sommes.

Le président Truman, roi d'Amérique, soutenu par ses grands vassaux, – le roi de l'acier, le roi de l'uranium, le roi du radar, – la fit appeler devant le Grand Conseil de l'Energie nucléaire, et, avec un sourire attristé, il lui fit un discours solennel.

– Mademoiselle, lui dit-il, nous comprenons la force et la douceur de votre sentiment, mais nous avons le devoir de vous rappeler que de grands intérêts sont en jeu : il s'agit de la sécurité du royaume. Nous ne pouvons pas vous permettre de vous marier hors de votre caste, qui est la plus puissante du monde. Choisissez l'un de nos physiciens. Il acceptera certainement cette union, puisque aussi bien aucun d'eux n'a le droit de parler aux autres femmes.

« Quant à ce jeune officier, aussi dangereux que Lauzun, j'ai le triste devoir de vous dire que ce qu'il aime en vous, c'est votre cyclotron.

« Nous en avons eu des preuves formelles; nous l'avons donc fait prévenir que, s'il restait en Amérique, il serait instantanément désintégré. Il vogue en ce moment vers l'Est, à bord d'un navire, et nous surveillons sa conduite par le radar. Hier au soir, il a mangé du homard et des tripes; il nous a paru consolé. Maintenant, ma cousine, ne pleurez pas. Cette action, si tristement féminine et roturière, serait indigne de votre parfaite connaissance des poids atomiques, que vous êtes chargée de falsifier pour protéger notre puissance – qui nous a été confiée par Dieu – contre l'indiscrétion des autres peuples. Songez à votre rang, retirez-vous dans vos laboratoires et ne pensez plus à une mésalliance qui n'a point l'agrément du Conseil privé. »

C'est sur ce ton, sans doute, que Louis XIV parla jadis à la Grande Mademoiselle, dans le moment qu'il intégrait Lauzun au château fort de Pignerol.

Il y a donc une nouvelle noblesse, parce qu'il y a une nouvelle puissance, concentrée aux mains de quelques-uns, et la garde qui veille aux barrières d'Oakridge a fait la relève de celle du Louvre.

S'il nous restait encore des rois, de vrais rois soucieux de leurs peuples, ils offriraient la main de leurs filles à l'inventeur de la bombe atomique, comme dans les contes persans où ils l'accordaient pour bien moins encore : et ça ne serait pas une mésalliance.

Et voici le grand, l'immense mérite de Georges Ohnet : non seulement il a choisi l'ingénieur pour en faire son héros, mais encore, par une intuition de génie, il l'a opposé à la plus vieille noblesse du monde, la noblesse française.

Cette caste, il ne l'a point diminuée. Il l'a montrée orgueilleuse, certes, mais franche, loyale, courageuse, pure.

L'écrivain a longuement et tendrement décrit le conflit.

Certes, il n'a point prophétisé avec précision; il ne pensait pas au radar, ni à la désintégration de la lumière. Mais son ingénieur à barbe noire, dont les hauts fourneaux éclairent la nuit, c'était le cousin de Du Pont de Nemours et de Carnegie; ses petits-neveux s'appellent Ford, Kayser, Howard Hugues; dans sa descendance directe, il y a Langevin et Joliot Curie.

En homme bon et généreux qu'il était, Georges Ohnet a conclu à l'union des deux castes par un mutuel amour.

Il semble n'avoir pas vu qu'il proclamait, du même coup, l'irréparable victoire de la tour Eiffel sur le tabouret de la duchesse.

Mais la duchesse le vit fort clairement. Ce roman, qui n'était pas encore illuminé par le soleil mortel d'Hiroshima, souleva la hautaine indignation de l'aristocratie déclinante.

Monsieur Jules Lemaître, critique d'un grand journal de droite, était le champion officiel de madame de Loynes, dame de noblesse authentique, et qui régnait sur un salon littéraire dont l'influence était considérable.

Monsieur Jules Lemaître ne put donc supporter l'idée atroce qu'une fille de vieille race pût éprouver de l'amour pour un vulgaire ingénieur.

Il aiguisa longuement sa meilleure plume, et composa un très brillant article, dont voici les passages principaux :

« – Monsieur Ohnet a été nommé " par un décret nominatif ", dirait monsieur Renan, pour les illettrés qui aspirent à la littérature...

« – Ce sont là scrupules et faiblesses d'artistes : c'est dire que monsieur Ohnet ne les a point.

« – Pour lui, une fille noble est plus ou moins une blonde équestre qui a la moue de Marie-Antoinette et qui épouse un industriel...

« – ... Des Grandet affaiblis, des Nucingen dilués, des Poirier de pacotille...

« – On y trouve... l'élégance des chromolithographies, la noblesse des sujets de pendule, les effets de cuisse des cabotins, l'optimisme des nigauds, le sentimentalisme des romances, la distinction comme la conçoivent les filles de concierge, la haute vie comme la rêve Emma Bovary, le beau style comme le comprend monsieur Homais. C'est du Feuillet sans grâce ni délicatesse, du Cherbuliez sans esprit ni philosophie, du Theuriet sans poésie ni franchise : de la triple essence de banalité.

« – J'ai coutume d'entretenir mes lecteurs de sujets littéraires : qu'ils veuillent bien m'excuser si je leur parle aujourd'hui des romans de monsieur Georges Ohnet...

« – Je dis que parmi les artistes dignes de ce nom il n'en est pas un seul qui fasse cas de monsieur Georges Ohnet. Et vous ne trouveriez pas non plus un critique sérieux qui l'ait seulement nommé, à moins d'y être contraint par les nécessités d'un compte rendu bibliographique...

« – ... Ils ne seraient point fâchés, sans doute, d'avoir autant de lecteurs que monsieur Georges Ohnet, mais j'affirme que pas un ne voudrait avoir écrit ses livres... »

L'article de Lemaître eut un effet foudroyant : Georges Ohnet en fut, littérairement, déshonoré.

C'était un grand honnête homme, un cœur sincère et généreux. Il souffrit en silence de cette agression féroce, à laquelle les snobs firent un énorme succès : il fut convenu, chez les gens de lettres et dans l' « élite », qu'il était honteux de lire *Le Maître de forges*, et que la carrière de Georges Ohnet était terminée.

Cependant, le grand public n'a pas coutume de tenir compte du jugement des « gens de lettres » dont il ignore jusqu'à l'existence, ni celui des salons – dont on a cru que Proust avait fait la satire, alors qu'il n'en donnait que la description.

Le grand public se mit à lire *Le Maître de forges* et lui fit un succès triomphal.

De plus, un écrivain de théâtre, Wiliam Busnach, qui ne fut pas un créateur, mais qui connaissait merveilleusement le métier dramatique, vint aider Georges Ohnet à tirer une pièce du roman tant décrié.

Cette œuvre fut jouée par une comédienne inconnue, mademoiselle Jane Hading, qui arrivait tout droit de Marseille.

Pour l'année de la création, les registres de la Société des Auteurs nous apprennent que les recettes atteignirent deux millions de francs, c'est-à-dire cent mille louis d'or, qui valaient vingt francs. Je laisse au lecteur le soin d'en calculer la valeur actuelle.

Telle fut la réponse du public à l'article de Lemaître.

Le célèbre critique en fut consterné, et son mépris devint de la rage.

En effet, Georges Ohnet venait de l'attaquer sur ce qu'il croyait être son propre terrain : l'art dramatique.

Car, si absurde que cela puisse paraître aujourd'hui, Lemaître avait la conviction d'être l'un des grands auteurs dramatiques de son temps.

Au moment du *Maître de forges*, il avait déjà mérité plusieurs fours : les directeurs montaient ses œuvres sans grand enthousiasme, et les acteurs étaient bien forcés de les jouer, à cause de la redoutable puissance du célèbre critique. Le public ne « marchait pas » : mais les illusions que l'on se fait sur soi-même sont invincibles.

Pour écraser Georges Ohnet, et pour se venger de tout le monde, Lemaître décida d'écrire une œuvre à succès, même au prix de légères concessions.

Cette comédie s'appela *Le Député Leveau*, titre évidemment spirituel et qui avait l'intention de ridiculiser la République.

Quand la pièce fut terminée, le tombeur de Georges Ohnet fit engager Jane Hading, découverte par Georges Ohnet. Ainsi le cycliste aux mollets maigres s'accrochait à l'autobus.

Le Député Leveau obtint un tout petit succès. La pièce était plate et grise comme toutes celles de son auteur. La gloire de Jane Hading, c'est-à-dire le triomphe du *Maître de forges*, aida Leveau à franchir le cap de la cinquantième.

Mais, à la soixantième, après les snobs, après le public de Jane Hading, le navet apparut dans toute sa blancheur, et la pièce, dans un morne silence, tomba de l'affiche.

On peut constater aujourd'hui que Jules Lemaître a écrit une quinzaine de comédies.

Aucune de ces œuvres n'a fait une centième; aucune n'a réussi en tournée; aucune n'a été reprise; personne ne les lit jamais.

Si un curieux ou un méchant en retrouve un exemplaire dans une bibliothèque municipale de province, il s'agit d'un exemplaire déjà moisi dont les pages n'ont jamais été coupées, et qui fait partie de la première édition, parce qu'il n'y en eut pas de seconde.

Lemaître n'a laissé qu'une petite série de contes encore lisibles et qui s'appelle : *En marge des beaux vieux livres*.

En marge, naturellement. Il ne savait écrire qu'en marge, comme le maître d'école qu'il était. En marge, et à l'encre rouge.

Georges Ohnet, d'une plume épaisse et maladroite, a écrit à l'encre noire, en pleine page, comme un créateur.

C'est pourquoi son roman diffamé a été tiré à plusieurs millions d'exemplaires et traduit dans toutes les langues du monde. Il reste aujourd'hui encore ce que les Américains appellent un « best-seller ».

C'est pourquoi sa pièce, depuis tant d'années, n'a *jamais* quitté l'affiche. On en fait des reprises, on en fait des tournées. Le film muet qu'on en tira eut un grand succès, moindre pourtant que celui du film parlant : Gaby Morlay, dans le rôle de Claire de Beaulieu, fit pleurer toute la France. Jean Chevrier et la charmante Hélène Perdrière viennent d'être les interprètes d'une nouvelle version (1947) dont le succès semble plus grand encore. On en fera l'année prochaine un film en couleurs, plus tard un film en relief, parce qu'il s'agit d'une œuvre simple, mais forte, et qui, sous une forme élémentaire, expose l'une des grandes crises sociales de l'humanité.

La fin de cette triste histoire nous est contée par René Peter, dans ses charmants souvenirs : *La vie secrète de l'Académie française*.

« L' " Affaire " Dreyfus n'aura pas seulement fait des ennemis. Elle aura, Dieu merci, resserré les liens affectueux, occasionné d'heureuses réconciliations.

« Certain soir, au cours d'un meeting organisé par les *patriotes*, deux écrivains d'inégale valeur, mais animés de pareils sentiments, furent voisins. Entre eux cependant flottaient des souvenirs peu faits pour les rapprocher. Nuls mots d'abord ne furent échangés. Puis, peu à peu, tandis que s'élevait le ton des orateurs, une trêve se fit dans le silence observé par les deux voisins; leurs regards consentirent à se rencontrer, leurs mains se serrèrent. Ils se nommaient Georges Ohnet et Jules Lemaître. Ils gagnèrent ensemble la sortie. Ohnet offrit à son terrible détracteur de le reconduire dans sa voiture, et Lemaître accepta. Dans le chemin, l'académicien, n'y tenant plus, demanda tout à coup à son confrère le pardon du mal qu'il lui avait fait. Ohnet fondit en larmes et l'embrassa sans pouvoir prononcer une parole. Lemaître aussi pleurait. Peut-être eût-il souhaité à ce moment voir les portes de l'illustre compagnie s'ouvrir devant le romancier populaire. Mais il était trop tard! Lui-même avait fixé inexorablement le sort littéraire du pauvre Ohnet. Et comme il en restait songeur... " Que voulez-vous, lui dit doucement Ohnet, ce sera ma petite vengeance. Cet article qui m'a réduit au désespoir, vous en avez peut-être en cet instant plus de regret que moi! " L'infortuné Dreyfus, huit ans plus tard, était réhabilité devant les hommes. L'innocent Georges Ohnet ne devait jamais obtenir l'annulation du jugement, peut-être excessif, dont Lemaître l'avait frappé. »

Ce petit récit est très émouvant, un peu trop peut-être. Ces deux sanglotants vieillards enlacés dans le fiacre de Xanrof forment un tableau assez comique.

Ils avaient pourtant de bonnes raisons de pleurer tous les deux. Ohnet, parce que l'article de Lemaître, qui n'a rien pu contre *Le Maître de forges*, a nui très gravement au talent de son auteur : ses œuvres suivantes sont guindées, surveillées, écrites avec une application paralysante : il n'a jamais plus retrouvé le ton naïf et rude, la démarche rapide et puissante de son chef-d'œuvre.

Quant aux larmes de Jules Lemaître, c'étaient peut-être des larmes de dépit.

Il nous semble, en effet, que cette injuste et méprisable cabale fut la plus grande bataille que la critique ait perdue en France : c'est depuis cette époque que son influence a commencé à s'affaiblir. Le brillant article de Lemaître, célébré comme une éclatante victoire, l'accabla d'une irréparable catastrophe.

On voit clairement aujourd'hui combien fut imprudent le prince des critiques lorsqu'il osa poser son sceptre sous le marteau-pilon du *Maître de forges* : le précieux insigne en fut si étrangement aplati qu'il en a gardé la forme, la valeur et le tranchant d'un coupe-papier.

Quelques années après le cas Georges Ohnet, nous avons eu le cas Rostand.

Le triomphe imprévu de *Cyrano* avait désarçonné la critique. Elle n'osa pas le discuter, du moins ouvertement. La réception de *L'Aiglon* fut un peu moins chaleureuse; quinze ans plus tard, *Chantecler* succombait momentanément sous la cabale des « crapauds ».

Depuis, Rostand a été souvent décrié, presque vilipendé. On parle de « poésie de pacotille », de « fantoches », et « d'artifices ».

Récemment à la radio nationale, un speaker, payé par les contribuables, disait avec un hautain mépris : « *Il paraît qu'il y a des gens qui aiment ça!* »

Eh oui, il y en a. Malgré les esthètes et les ratés, les héros du poète vivront éternellement dans la mémoire et dans le cœur des vrais hommes et des vraies femmes, et personne, absolument personne, n'y peut rien.

Le plus grand succès de théâtre de la saison 1945-1946, à Paris, fut sans conteste la reprise de *L'Aiglon*, qui attira au Châtelet plus d'un million de spectateurs. Quant au film tiré de *Cyrano*, malgré la pauvreté relative de sa réalisation, il enchante les foules de toute la France et fait sonner, pour la première fois dans les salles obscures, le vers français.

Nous avons eu plus tard, dans les petits journaux, les campagnes contre Henri Bordeaux : romans faciles, succès faciles, auteur honnête et larmoyant, etc. Son œuvre, qui est considérable, ne s'en porte pas plus mal.

Après *La Neige sur les pas* et *La Croisée des chemins*, le cinéma nous a donné une version des *Roquevillard*. Quoique ces films – comme il est d'usage – n'aient point la qualité ni la richesse des œuvres d'où ils furent tirés, leur succès les met au premier rang de la production française, qui fera certainement mieux la prochaine fois. On en tirera des films en couleurs, on en fera des films en relief, et dans trente ans, quand ce grand écrivain sera mort, il aura encore des premières de gala, avec le dais rouge devant le cinéma, et les tapis traversant le trottoir. C'est ce qui est arrivé à Dumas fils, pour sa *Dame aux camélias*, à Hollywood, soixante et onze ans après la première à Paris de son chef-d'œuvre.

Enfin, l'exemple le plus récent est celui de Georges Simenon.

Ses premiers ouvrages furent accueillis par de véritables huées; il vient de publier son centième roman, qui a été, comme les quatre-vingt-dix-neuf autres, traduit dans toutes les langues du monde. Simenon est encore très jeune, et malgré la coalition de la critique, le monde entier sait que la littérature française possède maintenant un très grand écrivain, et qui pourrait s'asseoir à table entre Balzac et Maupassant. On répète souvent que le succès ne prouve rien; c'est possible. En tout cas, ces quelques exemples prouvent que la critique, depuis Georges Ohnet, ne peut rien contre lui.

Au lendemain de la guerre, à la veille du grand renouveau, où en est le pouvoir de la critique?

Certes, nous avons encore des « cabales », mais elles ne sont pas organisées, ni patronnées par quelque grand seigneur.

Ce sont plutôt des coalitions spontanées : nous chercherons plus loin quelles sont les raisons qui rassemblent soudain nos censeurs contre une œuvre ou un écrivain.

Mais si la pièce est bonne, le résultat de ce genre d'attaque n'est pas plus grave que celui d'un « passage à tabac » correct.

En effet les acteurs qui doivent jouer une pièce nouvelle sont engagés pour trente représentations. Même après une exécution sommaire, faite par l'unanimité de la critique, la pièce sera jouée au moins trente fois : si elle plaît, rien au monde n'empêchera le public d'en faire un succès.

Notre conclusion sera donc celle-ci : aujourd'hui, au théâtre, la critique peut freiner un succès; elle peut infliger à l'auteur une semaine d'inquiétude. Elle peut aussi amortir une chute. Mais son action sur le public n'est vraiment sensible que dans un seul cas : lorsqu'elle a raison.

De plus, pendant qu'elle s'épuisait en des offensives aussi vaines que déplaisantes, la publicité moderne est venue au secours des auteurs. Elle soutient le livre, la pièce de théâtre, le film; c'est surtout dans le domaine du cinéma que l'autorité de la critique moderne pourrait être mesurée par un chiffre voisin de zéro.

4.

Propos du puissant chef

AVIS au lecteur : *Tous les chiffres cités dans ce chapitre doivent être multipliés par dix.*

Je dînais un soir avec d'autres cinéastes, chez l'animateur d'une « super-production », qui obtenait à ce moment même un très grand succès d'argent. C'était au temps de l'abondance, et la soirée devint cordiale.

Ce puissant chef avait offert son film au public de plusieurs grandes villes, quelques semaines avant de le proposer au jugement de la presse. La critique s'était fâchée tout rouge, et n'était pas venue à la tardive séance de présentation.

On n'avait pas encore parlé du fâcheux incident, lorsque quelqu'un demanda tout à coup au producteur pourquoi il avait aussi délibérément provoqué la critique cinématographique française.

– Provoqué? s'écria cet honnête homme. Vous aussi, vous croyez que je l'ai fait exprès? Eh bien, mon cher, vous vous trompez, comme bien d'autres. La vérité est toute simple : je n'ai pas présenté ma production à la critique parce que j'ai oublié de le faire. La réalisation et la vente d'un film sont une entreprise si complexe et si lourde, qu'on ne peut penser à tous les détails. D'ailleurs, dès que l'on m'a fait remarquer cet oubli, j'ai donné une séance spéciale et gratuite pour ces messieurs. Gentillesse inutile : ils ne sont pas venus.

— Votre oubli vous aura coûté cher, dit une dame de lettres, qui me sembla charmée par la vengeance des critiques.

— Pourquoi? demanda naïvement le producteur.

— Parce qu'un film dont la presse n'aura point parlé ne peut faire une carrière honorable.

— Mon Dieu! dit notre hôte désolé, est-il possible qu'il y ait encore des gens qui croient à l'influence de la critique!

Il se leva.

— Faites-moi l'honneur, dit-il, de venir boire un peu de whisky dans mes bureaux : ils sont au rez-de-chaussée. Je vous montrerai des documents qui éclaireront votre religion.

Nous traversâmes toute une suite de salles, fort richement meublées. Les plafonds à caissons planaient au-dessus de nos têtes, et de lourdes tentures voilaient de très hautes fenêtres. La pièce réservée à notre hôte était, naturellement, la plus lointaine, la plus vaste et la plus riche. Nous en fîmes la traversée en quelques minutes, pour nous réunir autour de son bureau. C'était une épaisse plaque d'acajou massif, à peine plus grande qu'un billard de match. Trompé par les dimensions de la pièce, j'essayai de faire tourner sur lui-même l'un des fauteuils de cuir rangés en cercle autour de ce dolmen. C'est au moment où je posai sur ce monstre ma frêle main que je connus son ampleur et son poids : je renonçai.

Notre hôte alla s'asseoir derrière son bureau.

Puis, s'adressant à la dame de lettres, il prononça ces paroles ailées.

– Chère madame, j'ai préparé mon film pendant deux mois. Voici les contrats des acteurs, de l'auteur, du metteur en scène, des décorateurs, des studios, des laboratoires, etc.

Ce disant, il étalait sur l'acajou des dossiers qu'il ouvrait tout grands.

– Ceci, nous dit-il, est le plus difficile à obtenir. Surtout les contrats des comédiens : à cause de la place que leur nom occupera sur l'affiche. Il nous faut plusieurs vedettes. Mais chaque vedette veut être nommée la première; il n'y a qu'une seule place de premier.

– Alors, dit la dame, comment faites-vous?

– Nous sommes forcés, dit le producteur, d'employer tous les moyens : l'argent d'abord. J'offre aux vedettes des indemnités d'autant plus fortes que leur rang sera plus bas. Cela réussit quelquefois, je dirai même assez souvent.

– Mais lorsque l'argent ne réussit pas?

– Alors, dit le producteur, nous employons le mensonge, l'hypocrisie et la mauvaise foi. Par exemple, il m'est arrivé d'engager trois acteurs en promettant à chacun des trois la première place, mais en leur demandant le secret.

« Quand le film sort, j'ai deux procès. Je les arrange assez souvent en promettant aux plaideurs la première vedette pour le film suivant, qui sera toujours le plus grand film de l'année. Ou alors, je me résigne à perdre mes procès et je passe les frais par publicité. Croyez-moi, ce sont ces engagements qui sont la phase décisive d'un film, car, dès que les contrats d'acteurs sont signés, mes vendeurs peuvent se mettre en campagne.

– Avant le « premier tour de manivelle »? demanda ironiquement un jeune journaliste.

– Bien entendu. Toutefois, les locations ou les ventes importantes ne sont signées qu'en cours de réalisation.

Il se leva, fit glisser, sans le moindre bruit, une très belle tapisserie d'Aubusson qui masquait une sorte d'armoire dissimulée dans le mur. Il nous découvrit ainsi un certain nombre de graphiques et de tableaux couverts de chiffres. Il y avait aussi, piquées dans des colonnes, des punaises rouges, vertes et bleues.

– Voici, dit-il, où en sont les ventes et locations de mon prochain film. J'ai déjà seize millions assurés sur France, Belgique, Afrique du Nord. L'étranger ne donne pas encore très bien, à cause du genre de mon film : il est un peu léger. J'ai pourtant une offre de dix mille livres pour les pays de langue anglaise et de cinq millions pour le reste du monde.

Le professeur à la Faculté des lettres le regardait d'un air pensif.

Le journaliste dit alors :

– Puisque vous nous faites des confidences, combien vous coûtera ce film?

– Le devis, dit le producteur, était de douze millions. Mais nous aurons un dépassement d'au moins trois millions.

– Si bien, dit la dame de lettres (qui connaissait aussi les chiffres), que vous aurez fait un bénéfice d'environ huit millions?

– Avant même que le film ne soit achevé, oui, madame. Pourquoi aurais-je besoin de la critique pour « assurer la carrière » de ma production? La critique ne peut rien, ni pour moi, ni contre moi : mes carottes sont déjà cuites.

– Permettez, s'écria le journaliste. Si votre film obtient une critique déplorable, ou pas de critique du tout, les directeurs de salles, qui l'ont loué à l'avance, ont le droit de dénoncer les contrats dans un délai de quarante-huit heures.

— Oui, dit le producteur, mais si le film leur plaît, le ton de la critique leur importe peu.

— Le ton de la critique, s'écria le journaliste, peut faire baisser ou monter la recette de l'exploitant.

— C'est bien évident, dit la dame de lettres.

— Il est bien évident, dit le producteur, que vous n'avez jamais étudié la question; examinons-la, chiffres en main.

Il ouvrit de nouveaux dossiers, pendant que le maître d'hôtel distribuait de grands verres gravés.

— Je suppose, dit le producteur, que nous sommes au lendemain de la présentation à la presse. Les comptes rendus commencent à paraître, les uns après les autres; cette floraison dure une semaine environ. Mon service de publicité m'annonce que soixante-quatre journaux ont fait la critique de notre film; ces articles, de longueur et d'importance variables, me donnent un total de 1850 lignes.

« Après avoir soigneusement calculé le prix de la publicité dans chacun de ces journaux, mon chef de service annonce que ces 1850 lignes, que nous avons eues gratuitement, valent environ quatre-vingt-dix mille francs.

— Comment! s'écria le professeur à la Faculté des lettres. Vous estimez qu'un article signé René Bizet ou Jean Fayard peut être évalué en francs par un courtier en publicité?

— Cette question a été posée, dit le producteur. Il est certain que la signature des articles a une importance pour ceux qui connaissent les noms des critiques. Mais ces noms sont, par malheur, peu connus du grand public. Ah! si un article était signé Georges Carpentier, ou Pasteur, ou Citroën ou Cadum, ou

Mistinguett, ou Gilette, ou Caruso, je ne dis pas : chacun d'eux pourrait nous attirer une certaine clientèle. Mais Bizet, Fayard, Georges Pioch, Jeanson, etc., nous croyons qu'ils sont célèbres parce que nous les admirons : ils ne sont connus que d'une élite, et l'élite n'est pas le public. Pour moi, je m'en tiens aux chiffres fournis par mes services, et j'adopte le point de vue de mes vendeurs : ils disent qu'une ligne vaut une ligne, et qu'une signature au bas d'un article, c'est utile, parce que ça fait une ligne de plus.

— Voilà une étrange appréciation du talent! dit la dame de lettres d'un air pincé.

— Je ne me permets pas de juger leur talent, dit le producteur. Nous parlons de leur influence, et je constate que selon mes experts, elle vaut quatre-vingt-dix mille francs de publicité.

— Si ces articles éreintent votre film, dit le journaliste, vous ne les considérez tout de même pas comme de la publicité?

— Si, dit le producteur imperturbable. C'est de la publicité, puisqu'ils parlent de mon film. Avouons maintenant que leur importance est assez minime, à cause de leur faible volume... Songez qu'avant la présentation à la presse, j'ai déjà fait trois cent quatre-vingt mille francs de publicité dite « de lancement ». Les journaux de cinéma ont raconté la vie privée de mes acteurs, on a inventé des échos pittoresques sur les incidents survenus pendant la réalisation; le metteur en scène a donné des « interviews », dont le texte, rédigé par mon spécialiste, fut illustré de photos choisies par moi. On a ainsi déclenché dans le public du cinéma une vive curiosité qui sera ensuite savamment entretenue.

« Nous arrivons au jour de la première : dix mille ampoules électriques, sur la façade du Paramount, font flamboyer mon titre, et enseignent aux passants qu'il s'agit d'une super-production, c'est-à-dire d'un chef-d'œuvre moderne.

« D'autre part, pendant les premières semaines, je donne aux principaux journaux une quinzaine de mille francs par jour : la salle leur en donne autant.

« Ainsi, dans le journal même où un excellent critique a dit, en quinze ou vingt lignes, que mon film était une honte pour le cinéma français, un placard de cinquante lignes proclame qu'il en est la gloire.

« Le critique n'a écrit qu'un seul article, assez mal placé... L'insolent placard paraîtra chaque matin en grandes lettres, qui s'imposent et qui donnent à ses affirmations une grosse voix.

« Ensuite, mon film sortira dans les meilleures salles des quartiers de Paris : vingt façades lumineuses proclament ensemble la gloire éternelle de l'œuvre nouvelle qui a « battu tous les records de recettes », qui a « coûté vingt-cinq millions », qui « marque une ère nouvelle dans l'essor du cinéma français ». Les vingt directeurs de salles décorent les murs de leurs quartiers d'immenses affiches polychromes, et la foule se rue aux guichets...

« Puis, les grandes et petites villes de province joignent leur voix à ce chœur assourdissant. Une note de mon chef de publicité me signale que notre dernier film a consommé trente-deux mille affiches, dont le prix de revient, y compris les timbres et la pose, dépasse deux millions de francs! Voici d'ailleurs, dit soudain notre hôte, un tableau récapitulatif qui me semble très éloquent. »

Il avait déplié une sorte d'affiche, qu'il fixa par deux punaises, et nous pûmes lire ceci :

Publicité de lancement	380 000
Soutien exclusivité	400 000
Palissades quartiers	132 000
(Ces dépenses ont été payées par la production.)	
Affiches	1 000 000
Valeur estimée des façades lumineuses de Paris :	
Publicité faite par les exploitants :	
Paramount, 21 jours à 20 000 francs par jour	420 000
21 salles de quartier à Paris, 7 jours à 3 000 francs	441 000
632 salles de province et région parisienne, 7 jours chacune, à 250 francs en moyenne	1 106 000
Placards et clichés payés par les salles de Paris (22 salles à 1 000 francs par jour environ)	154 000
Placards et clichés payés par les 632 salles de province (1 000 francs par semaine en moyenne)	632 000
Saison d'été : 460 « secondes visions » à 500 francs par semaine	230 000
460 façades, 2e vision, 7 jours à 150 francs.	483 000
Total pour France-Afrique du Nord . .	5 378 000

— Il manque, dans ce tableau, la publicité de Belgique et de Suisse : je puis donc vous dire, mes chers amis, qu'un film d'une certaine classe dispose d'une publicité qui vaut environ six millions de francs. Auprès de cette trompette géante, qui sonne le rappel du public, les plus bruyants de nos critiques ne font que musique de chambre.

— C'est-à-dire, s'écria la dame de lettres, que vous croyez pouvoir imposer au public n'importe quelle sottise?

— Nullement, répliqua le producteur. Ce n'est pas là ce que je dis! Ce serait trop beau! Pour que mon film réussisse, il est indispensable qu'il plaise au public : *mais c'est le public qui décide seul*; la critique est absolument impuissante à le détourner d'un film qui lui plaît, comme elle ne peut lui imposer un film qui l'ennuie.

— C'est assez triste, dit le professeur.

— Mais alors, dit la dame de lettres, pourquoi, malgré votre oubli du mois dernier, avez-vous l'intention d'inviter la critique à la première de votre prochain film?

— Parce que c'est correct, dit le producteur. D'abord, je ne veux pas empêcher les critiques de gagner leur vie... Et puis, il y en a qui écrivent des choses intéressantes... Et puis, si je décroche un article passable de Jean Fayard ou de René Bizet, ça fait plaisir à ma femme : vous savez qu'elle est un peu snob.

5.

Le recrutement de la critique

AVANT d'énumérer vos griefs, qui sont assez nombreux et qui nous semblent gravement justifiés, je viens de feuilleter un cahier de coupures de presse pour voir d'un coup d'œil général l'ensemble de la profession.

Où se recrutent actuellement nos critiques, c'est-à-dire nos juges ? N'importe où, selon la fantaisie des directeurs de journaux.

Il paraît cependant possible de les classer par catégories assez nettement séparées les unes des autres.

Ecartons d'abord d'un seul geste les courtiers en publicité qui se déguisent en critiques pour faire ce que l'on appelle la « publicité rédactionnelle ».

Je ne méprise point cruellement cette profession. Certes, il n'est pas particulièrement noble de louer une œuvre d'art parce qu'on a reçu de l'argent. Il semble que ce soit une sorte de chantage au silence.

« Si tu me paies, je dirai du bien de toi, dans un

article d'apparence honnête et loyale. Il sera placé dans les bonnes pages, sans aucun signe particulier, et surprendra d'autant mieux la bonne foi du lecteur. Si tu ne me paies pas, je t'accablerai par la sérénité de mon silence et tu seras comme si tu n'étais jamais né. »

Nos grands-pères auraient considéré ce métier comme déshonorant.

Il semble bien d'ailleurs que la presse elle-même ait le sentiment de sa culpabilité : la troisième page coûte plus cher que la dernière, la seconde plus que la troisième, et la première page est hors de prix, parce qu'elle persuade mieux.

Cette échelle des tarifs, qui semble mesurer la grandeur de l'imposture, prouve que la conscience des courtiers en publicité n'est pas morte, puisque le réconfort qui lui est dû est rigoureusement proportionné à l'intensité de sa souffrance.

D'ailleurs, cette pratique est entrée dans nos mœurs. La publicité de théâtre ou de cinéma n'est pas plus malhonnête que la publicité médicale, qui est bien autrement dangereuse.

J'ai eu l'occasion de rencontrer un certain nombre de ces vendeurs d'éloges ou de silences : c'étaient de très honnêtes gens.

Il n'est cependant pas possible de les considérer comme des critiques.

Voici maintenant la nouvelle critique, forte de l'effectif d'une compagnie sur pied de guerre. C'est l'incroyable pullulement des journaux, quotidiens ou hebdomadaires, qui engendra un si grand nombre de censeurs.

Ces jeunes gens, parmi lesquels éclate la beauté de plusieurs jeunes femmes, n'ont aucune bienveillance. La jeunesse est toujours arrogante. Et nous aussi, il y a vingt-cinq ans, nous avons fait la leçon à nos aînés, nous avons essayé d'enterrer nos maîtres bien vivants. Plus tard, quand nous avons pu les approcher, nous avons vu, avec une joie humiliée, qu'ils nous pardonnaient tout le mal que nous avions cru leur faire, que s'ils nous en parlaient, c'était par malice, et en souriant. Et que la plupart n'avaient jamais lu nos « éreintements ».

D'ailleurs, les jeunes gens d'aujourd'hui ont des excuses bien meilleures que les nôtres.

Aux premiers jours de leur jeunesse, au moment de leur formation physique, morale, intellectuelle, le sol de la patrie a tremblé sous leurs pieds; une sentinelle verte les a fait descendre de leurs trottoirs, pour contourner les barrières blanches de l'oppresseur. Il y avait le couvre-feu, la musique indécente à midi, tout le long des Champs-Elysées, et les grands goinfres aux bottes sonnantes, qui défilaient en chantant et lançaient au ciel de Paris la voix déchirante des Barbares...

Mal nourris, mal vêtus, mal instruits, victimes d'un passé qui n'était que leur enfance, leur jeunesse a subi, pendant des années, l'impatience fiévreuse, la colère muette, la haine vigilante; ils sont nerveux, instables, agressifs. Qui oserait le leur reprocher?

Du point de vue littéraire, quels modèles ont-ils eu sous les yeux? Dans un très bel article de *L'Ordre*, Paul Achard a fait une frappante remarque, la voici :

« Il est bien vrai que, malgré leur haine pour l'action de Laubreaux, ils ont subi incontestablement l'influence de son incontestable talent. »

En somme, leur cas dépasse le cadre de la discussion littéraire. Il ne serait pas juste de critiquer aujourd'hui leurs défauts; il n'est pas encore possible de louer leurs qualités.

Pour le moment, ils ne font pas partie de la critique, parce qu'ils sont en train d'apprendre la vie et leur métier. Leur visage s'éclaire un peu plus chaque jour. Attendons leur premier sourire.

Les auteurs critiques

Voici la première catégorie de vrais critiques. Ce sont les auteurs-critiques.

Les auteurs-critiques sont des auteurs dramatiques, qui ont un nom et une place enviables dans notre métier. De vrais théâtres jouent leurs pièces; ils gagnent de la gloire et de l'argent.

Ces auteurs, on ne sait pourquoi, ont besoin de donner publiquement leur avis sur les ouvrages de leurs confrères. Un grand journal accueille leurs articles, les voilà critiques dramatiques français.

Nous avons eu ainsi des comptes rendus signés Pierre Wolff, Edmond Sée, Charles Méré, Maurice Rostand, Jeanson, Michel Duran, Léopold Marchand, etc.

Il est permis, tout d'abord, de regretter que ces confrères n'aient pas consacré à corriger leurs propres œuvres le temps qu'ils ont perdu à parler de celles des autres.

D'autre part, que vaut l'opinion qu'ils expriment chaque semaine dans leur journal?

120

Voici Léopold Marchand, auteur dramatique célèbre, homme sensible et généreux. Va-t-il contester publiquement le demi-succès que vient d'obtenir un confrère pauvre, après plusieurs années d'attente?

Et Maurice Rostand, qui est la bonté même, ne peut pas proclamer la nullité totale d'une œuvre montée à grands frais dans un théâtre qui joue de temps à autre une pièce de Maurice Rostand.

Certes, les articles des auteurs-critiques sont toujours excellents, parce qu'ils parlent du théâtre en hommes qui aiment leur métier, et qu'ils le connaissent assez bien, mais leur critique n'est pas libre, elle n'est pas sereinement impartiale, parce qu'elle ne peut pas l'être. Elle n'a donc aucune valeur, et elle ne présente aucun intérêt, si ce n'est son agrément.

Les critiques auteurs

Voici maintenant une très redoutable espèce : c'est celle des critiques-auteurs.

Les critiques-auteurs sont des gens de tous âges et de tout poil qui écrivent ou qui ont écrit des pièces de théâtre. Ces œuvres n'ont jamais été jouées, ou parfois l'ont été dans des compagnies d'avant-garde ou sur de vrais petits théâtres.

Car l'avant-garde n'est pas seule à tenter des expériences. Nous avons aussi, de temps à autre, l'une de ces glorieuses courtisanes qui, pour avoir un alibi, se disent tout à coup comédiennes, louent une salle pour deux mois, et montent en été l'une des deux cents pièces que tous les vrais directeurs ont repoussées, à tour de rôle, par de très grands éloges. (Hypocrisie obligatoire.)

L'adorable vedette joue à la directrice; elle reçoit l'auteur dans son petit hôtel; elle le nourrit de marennes, de caviar et de champagne; elle le présente aussi à plusieurs directeurs de journaux qui furent – ou qui sont – ses amis; on attaque les répétitions. Les journaux du mois de juin commencent à manquer de copie; avant d'en arriver au serpent de mer, on fait des interviews du jeune auteur; il rédige lui-même des avant-premières, où perce un certain contentement de soi.

La générale a lieu : la presse n'est pas mauvaise. On sait bien que ça n'a pas grande importance, et qu'il est d'usage d'être bienveillant, par égard pour la jeunesse du débutant et pour la beauté de la courtisane, qui fait du charme au moindre reporter; de plus, la critique estivale est souvent composée de sensibles intérimaires, pendant que le vrai critique est aux bains de mer. On joue la pièce devant un public clairsemé, dans les rangs duquel on peut voir le chauffeur, la femme de chambre et la cuisinière de la directrice. Ce n'est point leur admiration pour la pièce ou pour leur patronne qui les assoit ainsi dans ces fauteuils. Ils sont de service, ils remplacent de leur mieux le vrai public qui ne vient pas. Il y a de plus une trentaine de passants et autant de provinciaux. Comme le théâtre est petit, cela fait un gentil public, qui applaudit à la fin des actes.

Au bout d'un mois, la vaillante directrice est épuisée, en même temps que les crédits accordés par son amant. Elle arrête les représentations, il faut qu'elle se montre à Cannes ou à Biarritz. On se sépare avec émotion, on annonce une reprise éclatante à la rentrée, dans un théâtre beaucoup plus grand et mieux achalandé. L'auteur part en vacances les poches gonflées de coupures de journaux qui donneront tant de fierté à son vieux père. Dans la maison familiale, il commence avec une joie fiévreuse une œuvre nouvelle, sur laquelle il fonde les plus grands espoirs.

Voici la rentrée.

La vedette ne reprend pas la pièce. Son amant l'a quittée, elle a des ennuis d'argent. Les vrais directeurs ont à peine entendu parler de cette création estivale; ils semblent n'attacher aucune espèce d'importance à des événements de ce genre. Le jeune auteur leur offre son nouveau manuscrit. On lui répond que le programme de la saison est déjà bien établi, qu'on verra plus tard. Le voilà profondément déçu, mais non découragé : il a compris.

Il s'agit certainement d'une cabale tacite des vieux contre les jeunes; on veut lui barrer la route, on espère l'étouffer par la conspiration du silence... Eh bien, on va voir : le jeune auteur se fait critique.

Il commence dans un tout petit journal : il sera bientôt reçu dans la grande presse, parce qu'il a de la volonté, le goût du théâtre, de l'esprit et du talent, quoiqu'il soit incapable d'écrire une bonne pièce ou un bon film. Cette place de juge, il ne l'a conquise et il ne la garde que pour servir ses ambitions d'auteur. Il se fait des relations, il fréquente les comédiens, il est reçu par les directeurs. Ceux qui lui font de vagues promesses, il parle d'eux avec une profonde admiration; ceux qui l'éconduisent ne sont que des « marchands » et des « combinards ».

Il arrive parfois, à force de patience, d'intelligence et d'adresse, à obtenir enfin qu'on joue l'une de ses pièces.

Malgré d'évidentes qualités littéraires, elle s'effondre au bout d'un mois, faute de qualités dramatiques. Il est aussitôt persuadé que le directeur n'a pas voulu soutenir son œuvre, que la cabale est plus féroce que jamais, qu'il est victime des auteurs à succès. Le voilà aigri, plein d'amertume, tout prêt à se venger de tant de perfidie : il devient d'autant plus agressif qu'il se croit en état de légitime défense. Loin de servir l'art dramatique, il va lui nuire de son mieux, et avec tout son talent.

Licence des critiques

Il est indispensable de supprimer ces dangereux écriveurs.

Au moment où les pouvoirs publics créent tant de lois nouvelles, tant de comités, tant de licences, ils pourraient imposer la licence des critiques. Elle serait instituée par un texte assez court : j'en propose au lecteur l'avant-projet.

Exposé des motifs

Attendu qu'un critique dramatique, littéraire, musical ou artistique, est appelé à donner son avis dans les feuilles publiques sur tous les ouvrages de sa spécialité;

Attendu que chacun de ces ouvrages, quelle qu'en soit la valeur, a coûté beaucoup de temps et de travail à son auteur, et parfois d'argent à ses réalisateurs ou vendeurs;

Attendu que le gouvernement désire protéger les intérêts des auteurs et des réalisateurs, et les défendre contre les attaques publiques de l'ignorance, des rivalités ou de l'envie;

Décrète :

1° Il est institué une licence de critique. Elle sera attribuée par une commission présidée par le directeur des Beaux-Arts, et comprenant obligatoirement : le président de l'Association de la critique (dramatique, littéraire, musicale ou artistique) et trois de ses membres.

Les présidents des Associations d'auteurs (auteurs dramatiques, compositeurs, romanciers, artistes),

Quatre réalisateurs (directeurs de théâtres, comédiens, musiciens exécutants, éditeurs, marchands de tableaux ou d'objets d'art),

Deux directeurs de journaux quotidiens,

Deux directeurs de journaux hebdomadaires ou autres.

2° La profession de critique est interdite à toute personne qui n'aura pas obtenu sa licence sous peine d'une amende de x francs par article. Cette interdiction ne concerne que les articles publiés par les journaux, revues, périodiques. La publication d'un volume de critique demeure permise à tous.

3° Les candidats à cette licence devront remplir les conditions suivantes :

a. Etre âgés de plus de vingt-cinq ans;

b. Etre au moins bacheliers ès-lettres, ou justifier d'un titre reconnu comme équivalent, ou avoir publié au moins deux volumes dont la valeur sera appréciée par la Commission;

c. Ne pas exercer l'une des professions que le critique sera appelé à juger, ne pas essayer d'exercer l'une de ces professions. Ainsi, le candidat qui a déposé un manuscrit chez un directeur de théâtre ou chez un éditeur depuis moins de deux ans ne pourra être critique dramatique ou critique littéraire;

d. La critique étant considérée comme une fonction judiciaire, aucun pseudonyme ne peut être admis, à peine d'une amende de x francs par infraction constatée;

4° La Commission de la licence aura le droit de retirer la licence de critique pour les fautes contre l'honneur, la mauvaise foi (prouvée par un mensonge volontaire sur un fait), pour un jugement porté sur une œuvre que le critique n'aurait ni vue, ni lue, ni entendue ou pour des citations volontairement déformées, et de nature à nuire à la réputation de l'auteur ou des réalisateurs.

Droits de la critique :

. . . .

Laissons-leur le soin de rédiger cette seconde partie : dans les limites de ce qui précède, nous sommes prêts à leur accorder tous les droits.

Un critique, devant qui plusieurs auteurs parlaient de ce projet, en fut particulièrement indigné; et nous accusa de vouloir domestiquer la littérature.

Nous reconnaîtrons volontiers que la critique fait partie de la littérature. Cependant, nous ferons

126

remarquer qu'une grande différence sépare le critique de l'écrivain.

L'écrivain invente ses œuvres, et ne met en cause que ses personnages. Il tire sa pièce de son propre fonds, et sa liberté ne peut nuire à personne. Le critique n'écrit qu'à propos d'autres personnes, qui ont un nom et une adresse, et la liberté accordée aux critiques réduit celle de l'écrivain, directement et publiquement mis en cause. Il est donc normal que les auteurs prétendent limiter raisonnablement une liberté qui limite la leur, et qu'ils aient le droit – qui est accordé aux assassins – de récuser, pour des raisons légitimes, certains de ceux qui, de leur propre initiative, viennent s'asseoir sur les bancs du jury.

Voici enfin le grand, l'extraordinaire scandale de notre époque : celui de la critique à la radio.

La critique à la radio

Pendant que la famille est à table, sur le coup de midi trente, une voix sort du haut-parleur. Avec une parfaite sérénité, cette voix décrète : « La pièce (ou le film) de monsieur X..., dont la présentation eut lieu hier au soir, marque un net déclin de son auteur. La critique a été frappée par la platitude du style, l'absence d'idées, la pauvreté de l'invention dramatique; quant aux reparties comiques, elles sont dignes de l'almanach Vermot. »

Dans nos plus lointaines provinces, en Afrique, en Belgique, au Canada, des millions de personnes entendent cette voix; elles sont hors d'état de vérifier

127

ces assertions. Elles sont trop loin de Paris, et bien peu d'entre elles auront l'occasion de lire la presse française. Ainsi, la voix des ondes peut faire ou défaire la réputation d'un auteur dans l'esprit de tous ceux qui n'auront pas vu son œuvre.

A qui appartient cette voix? Elle est transmise par les installations de la radio française, qui est la propriété de l'Etat; elle utilise les services de techniciens qui sont payés par le Trésor public : c'est donc bien la voix de la France, qui condamne une œuvre française, et fait savoir au monde entier la déchéance d'un écrivain français. Pourtant, nous savons bien que la France n'est qu'une entité sans cordes vocales, tandis que cette voix que l'on entend est, sans aucun doute, celle d'une personne humaine; il semble même que ce soit l'organe d'une femme.

Qui est donc cette dame?

Il est possible de croire qu'elle est instruite, parce qu'à la radio, on ne peut voir ni son écriture, ni son orthographe. D'ailleurs, il est probable que ceux qui l'ont choisie n'ont pas eu à vérifier ses qualités intellectuelles : ils n'ont écouté que le son de sa voix et la netteté de sa diction. Cependant, elle juge, avec une autorité sereine, les représentants de l'art dramatique français.

Lorsqu'il s'agit de politique, ces messieurs-députés sont fort délicats, et ils surveillent de bien près les émissions. On ne peut écouter un communiste sans entendre aussitôt la réplique d'un radical, et la revue de la presse est faite avec une impartialité forcée, puisque le speaker doit lire successivement les articles des « leaders » de chaque parti. Certes, il y a des changements de ton coupables, et le speaker nous offre parfois son grain de sel. Mais, somme toute, l'auditeur est assez bien renseigné, et chaque doctrine y trouve son compte.

Pourquoi la radio, à propos d'une œuvre dramatique, ne ferait-elle pas une revue de presse théâtrale? Pourquoi l'auteur ne serait-il pas invité à prendre la parole devant le micro, au début ou à la fin de l'émission? Chez quelles peuplades sauvages a-t-on vu juger l'accusé en son absence? L'auteur a le droit de parler, et non pas huit jours après, c'est-à-dire quand le mal est fait, mais le jour même, afin que sa parole s'adresse aux mêmes auditeurs.

Quant à la « speakerine », nous ne voulons pas connaître son nom, et nous refusons formellement d'entendre ses opinions artistiques, littéraires, ou dramatiques; nous la payons pour parler, non pour juger.

Si le speaker politique, après avoir annoncé la réunion d'un Conseil des ministres, ajoutait : « Moi, je trouve tous ces gens-là bien fatigués, et le ministre des Finances m'a fait une très mauvaise impression; je crois que tous leurs palabres n'aboutiront pas à grand-chose. » Ce speaker, même s'il avait raison, serait mis à la porte sur-le-champ.

Il est bien étonnant que les hommes politiques, qui soignent leur réputation, n'aient pas pensé à protéger la nôtre : nous aussi, nous sommes élus; et les diffamations de la radio d'Etat, presque toujours inspirées par des considérations politiques, sont un véritable scandale.

6.

Les vrais critiques

Nous arrivons aux vrais critiques, à ceux qui ne sont point visés par notre projet de licence, mais qui seront au contraire protégés par elle, parce qu'elle donnera plus de poids, plus de dignité, plus d'autorité à leur profession.

La première espèce, ce sont les critiques amateurs. Nous ne voulons pas dire par là qu'ils ne soient pas des professionnels. Nous voulons dire que ce ne sont pas des doctrinaires : ils ne publient jamais leurs articles en volumes, et ils ont toujours un autre métier.

Ce sont de grands journalistes, des professeurs, des gens du monde, des mécènes.

Ils font de la critique, pour se distraire, parce qu'ils aiment le théâtre ou le cinéma, la fréquentation des artistes, l'atmosphère des générales ou des présentations. On les rencontre assez souvent dans les coulisses ou dans les studios, où les vrais critiques ne vont presque jamais.

Leur impartialité n'est pas sereine; ils ont leurs

préférences, ils ont leurs têtes de Turc, ce qui leur donne une personnalité. Ils sont instruits, bien informés, spirituels, parfois rosses. Ils ont du tact, et leurs erreurs, ils les commettent en toute bonne foi : elles sont nombreuses, jamais vulgaires. Leur grand défaut, c'est qu'ils sont les pères frivoles des snobismes. Ils forment l'avant-garde de la critique française, parce qu'ils sont la critique parisienne.

Voici, enfin, les critiques dramatiques.

Certes, nous n'avons pas un Francisque Sarcey; ce n'est pas tous les ans que naît un Aristote, ce n'est même pas tous les siècles. Mais il n'est pas encore très loin de nous, et son influence, si nette et si profonde sur tous les auteurs, s'étendra peut-être un jour aux critiques. Ce jour-là l'art dramatique français sur la scène et sur les écrans reprendra sa place dans le monde : jusqu'en 1914, cette place était la première.

En l'absence de ce pape du théâtre, nous avons eu cependant de vrais critiques : Lucien Dubech, Paul Souday, Pawlowski, Henry Bidou, André Antoine. Ils sont morts tous les cinq et ce furent de grandes pertes.

Il nous reste encore une troupe imposante de lettrés qui jugent nos œuvres : nous les nommerons tout à l'heure.

Présentons-leur d'abord, et d'une façon générale, l'ensemble de nos revendications.

Certes, toutes les accusations qu'on va lire ne visent pas tous les critiques : d'ailleurs, quand nous ferons une querelle personnelle nous n'hésiterons pas à nommer l'incriminé.

D'autre part, les cabales et les manœuvres que nous allons reprocher à la critique, nous ne les croyons pas longuement mûries ni savamment pré-méditées par d'obscures conjurations. Nous croyons, au contraire, qu'elles sont les mouvements naturels de courants généraux de sentiments et d'idées, ce qui les rend d'autant plus redoutables.

La critique n'aime pas le succès

Voici notre grief premier et principal : la critique n'aime pas le succès.

Ce sentiment s'explique fort bien chez les ratés devenus critiques ou les jeunes pressés d'arriver. Mais on le trouve aussi chez les vrais, chez les purs, chez les critiques désintéressés; il existe d'ailleurs dans le cœur de tous les Français, et peut-être de tous les hommes. Le public des combats de boxe souhaite toujours la victoire du plus faible, ce qui, au fond, est injuste : mais nous sommes ainsi faits.

Chaque fois qu'un auteur heureux donne une pièce réussie, la critique ne manque pas de souligner les moindres faiblesses de l'œuvre. Elle évoque parfois quelques grands noms; Molière, Beaumarchais, Musset. Ce n'est point pour hausser l'auteur au rang de ces génies. Enfin, il lui arrive parfois de reconnaître le succès de la pièce ou du film : mais les termes qu'elle emploie, les éloges qu'elle choisit ne sont jamais puisés dans le vocabulaire de l'enthousiasme. Elle n'écrit jamais « succès » tout court, mais presque toujours « succès facile ». Cette épithète méprisante, tombée de la plume de journalistes dont la plupart n'ont jamais obtenu le moindre succès personnel, paraît assez naïvement ridicule.

Je viens de rencontrer Roger-Ferdinand. Il a écrit, depuis quinze ans, sept ou huit pièces d'inégale valeur, mais qui promettaient un homme de théâtre. Il vient de tenir ses promesses, il nous a donné *Les J 3*.

C'est une comédie « d'actualité », ce qui est la preuve de son grand talent : *Les Perses, Bérénice, Tartuffe, Le Barbier de Séville* furent des œuvres d'actualité. La pièce est admirablement construite, sa valeur scénique est très grande. Elle « restera » certainement; on ne la mettra pas au rang d'*Hamlet* ou de *Cyrano*, mais elle gardera sa place parmi les chefs-d'œuvre mineurs comme le *Chapeau de paille, Le Voyage de monsieur Perrichon* ou *Les affaires sont les affaires*.

En attendant l'immortalité, *Les J 3* ont tenu l'affiche depuis trois ans et leur prodigieux succès a traversé la Libération.

Je rencontrai donc l'auteur des *J 3*. Il portait sous le bras une serviette de professeur et il marchait, pensif en regardant, à travers ses lunettes, le trottoir.

— Mon cher, me dit-il, il n'y a rien à faire, on n'y peut rien, on n'y changera rien. Regarde ça.

Il me tendit un journal, qu'il avait plié de façon à isoler une colonne. Et sur le trottoir de la rue Ballu, sous une petite pluie fine, je lus un article qui n'avait aucun rapport avec Roger-Ferdinand. Mais au passage, une incidente disait :

« *Le succès exorbitant des J 3* »

Il me regarda lire, m'arracha le journal, le plia, le mit dans sa poche et dit :

— « Exorbitant »! Tu as lu « exorbitant »?

— Je l'ai lu.

— Bien. Note que cet article ne me concerne pas.

Mais son auteur éprouve le besoin de parler de moi à propos de la pièce d'un autre. *Exorbitant!* Sais-tu ce que veut dire, exorbitant?

— Au sens propre, qui fait sortir les yeux des orbites.

— Oui, et au sens figuré « qui cause une grande surprise, inconcevant, indécent ». Voilà l'effet produit sur l'un de nos meilleurs critiques par le succès d'une pièce française; il en est stupéfait, choqué, dégoûté, les yeux lui en tombent!

D'ailleurs, à propos des *J 3*, il a parlé avec regret de *La Foire aux sentiments*, écrite il y a vingt ans et jouée dix fois à l'Œuvre. Cette tendresse est assez surprenante, car son article, à l'époque, ne fut pas tellement enthousiaste. Il parut après l'échec de la pièce et mon malheur ne lui parut pas « exorbitant ».

— Mon cher ami, lui dis-je, il n'y a que le succès qui puisse exorbiter un critique. Quant à louer aujourd'hui une pièce de ton passé, c'est là un procédé classique, et tu n'en serais pas surpris comme un enfant si tu avais, comme je l'ai fait, étudié la création des « anti ».

Je lui fis une assez longue théorie. Elle parut l'intéresser. C'est pourquoi je veux la soumettre au lecteur.

Naissance des « anti »

Nous savons que la critique a grandement loué la *Phèdre* médiocre d'un imbécile nommé Pradon. Mais nous savons aussi que ces éloges de Pradon n'étaient que des critiques de Racine.

Pradon fut l'anti-Racine.

Il serait facile de retrouver dans l'histoire des lettres les anti-Hugo, les anti-Zola, les anti-Daudet, les anti-Rostand, les anti-Bordeaux, etc.

Il nous arrive de découvrir, dans les manuels ou les dictionnaires, des noms dont la présence nous surprend; ce sont des auteurs, ou des compositeurs, ou des peintres dont l'œuvre fit grand bruit de leur vivant. La critique et les snobs les portaient au pinacle. Ils connurent la gloire des chapelles littéraires; ils moururent comblés d'honneurs; mais leurs œuvres, en un triste cortège, les ont suivis au cimetière et n'en sont jamais revenues.

Chaque fois qu'un chercheur vous signalera l'existence, à une certaine époque, de l'un de ces illustres inconnus, explorez avec soin les environs : ces éloges qu'il a reçus, quelqu'un les méritait.

De même que le passage d'un astre secondaire prouva l'existence de Neptune, de même les triomphes de Bergerat et de Mendès auraient suffi à prouver la présence de Rostand.

La création des « anti » peut être aisément expliquée.

Parce qu'elle n'aime pas le succès, la critique est condamnée à démontrer que les bonnes pièces de théâtre sont des œuvres sans valeur, que le style en est d'une vulgarité choquante et que l'« engouement » du public n'est qu'une preuve de plus de la bassesse intellectuelle et morale de notre temps.

Mais il est certain qu'un critique ne peut passer sa vie entière dans une attitude hautaine et méprisante. Il finirait par perdre son crédit auprès du public.

D'autre part, s'il n'est que le collaborateur d'un

journal, il lui faut ménager son directeur, qui va très souvent au théâtre; un critique, s'il saccage toutes les œuvres nouvelles, finira par irriter le « patron », qui l'enverra vitupérer ailleurs.

Le voilà donc forcé, dût-il souffrir mort et martyre, de louer certains écrivains. Il se consolera de ces louanges en les rédigeant de telle sorte qu'elles fassent de la peine à d'autres écrivains. Il louera Passeur et Zimmer, débutants, non pas à cause de leur talent, mais contre Bernstein et Savoir. Il encensera les débuts d'Achard, non pas pour aider Achard, mais pour inquiéter Robert de Flers, et il saluera à grands cris la première pièce de Sarment pour qu'Henri Bataille gémisse en dormant.

Tant que nous sommes de « jeunes auteurs », ce qui précède joue en notre faveur : nous n'en voyons pas le mécanisme, et nous sommes charmés. Malheureusement, après un vrai succès, il joue contre nous, et c'est alors seulement que nous comprenons la vraie valeur des fausses louanges de jadis...

Reconnaissons tout de suite que les critiques ne sont pas tous aussi méchants que je viens de le dire, et qu'il y a une autre cause qui fait naître des « anti » : c'est qu'aucun homme normal ne peut se résigner à déblatérer sans cesse, qu'un ricanement perpétuel devient une douloureuse grimace, et que c'est un plaisir que de louer et d'admirer. Les critiques se l'accordent assez souvent : mais leur difficulté est dans le choix de ceux qu'ils vont louer, et qui deviendront des « anti ». Quelles sont les lois de cette élection?

Les grands critiques, ceux qui aiment leur métier, ne s'abaissent point à écrire un éloge qu'ils ne pensent pas : c'est pourquoi ils vont chercher leurs « anti » dans les cimetières.

Pierre Brisson, écrivain de race, et d'une intelligence redoutée, prouve sa bonne foi, son impartialité, sa mansuétude en louant Molière à longueur d'année.

Je le vois très distinctement, debout devant le seuil du Temple de la Gloire. Il sourit tendrement à la statue du Misanthrope, dont il caresse avec amour la perruque mal coiffée. De temps à autre, et sans changer la direction de son profil de proconsul, il lance un regard oblique vers les degrés qui conduisent au Temple : en adorant Alceste, il attend le client.

Et le voici. C'est un auteur comique. Il monte lentement, d'un pas mal assuré. Il aperçoit le grand critique. Il se découvre, et s'avance timidement, en portant, au bout de sa main, son chapeau melon.

Pierre Brisson, à ce qu'il semble, ne l'a pas vu. L'auteur comique se trouble, s'arrête et toussote une ou deux fois.

Pierre Brisson ne l'a pas entendu.

Mais il a saisi par les chevilles la pesante statue de bronze; avec une aisance impassible, il en fait, au soleil, de ronflants moulinets.

L'auteur comique admire un instant ce spectacle, puis il fait un pas en arrière, remet son chapeau et s'en va.

J'ai entendu dire qu'à Marseille, pour un « passage à tabac » de qualité moyenne, les agents cyclistes roulaient leurs pèlerines et, avec ce pesant cylindre d'étoffe, frappaient, sur la tête, le délinquant.

Ce traitement ne cause ni fracture, ni blessure, et ne laisse pas de marque visible; mais le patient perd momentanément le sens de l'orientation et il en reste abasourdi. C'est ainsi que la critique traita Marcel Achard et Jean Sarment, à leur second succès, avec la lourde cape d'Alfred de Musset.

Un grand nombre de critiques de notre époque ne vont point exhumer leur « anti » parce qu'ils ne connaissent pas le chemin du cimetière.

Ils vont donc les chercher dans les lieux spécialement choisis par les muses, où la température, la pénombre et l'adorable pauvreté sont particulièrement favorables à l'éclosion de la graine d' « anti ».

Ces lieux sont l'Œuvre, le Vieux-Colombier, le Théâtre Hébertot, l'Atelier, le Théâtre Montparnasse, et la Comédie des Champs-Elysées. Nous ajouterons aujourd'hui le Gramont et le Rochefort.

Ce sont ces théâtres (les plus nobles du monde) qui ont révélé le talent de presque tous les vrais auteurs dramatiques de notre époque. Mais ils n'ont pu faire ces trente découvertes qu'au prix de plusieurs centaines de fours.

C'est là qu'on vient acclamer l'écrivain de valeur, mais peu doué pour le théâtre, dont il sera possible de chanter la louange sans risquer de convaincre le public. C'est là que la critique maternelle lui offrira un piédestal, avec une générosité d'autant plus sincère qu'elle le croit incapable d'y monter.

L'auteur ainsi loué au-delà de son mérite n'en est jamais surpris, et il accepte naïvement ces éloges démesurés : il ne sait pas qu'il est un « anti ».

Il arrive très souvent que l'« anti » n'ait aucun talent dramatique : la critique a un flair incomparable pour découvrir, préparer, et perfectionner les ratés.

Après son premier succès d'estime il vivra quelques années debout, les bras croisés, à côté de son piédestal. Tous les deux ou trois ans on jouera l'une de ses œuvres, qui durera deux ou trois jours, et même parfois deux ou trois semaines. Puis, les directeurs d'avant-garde, qui comprennent assez vite, malgré leur dévouement et leur foi, refuseront ses œuvres nouvelles.

Cette situation vraiment dramatique n'a que deux issues :

Si l'« anti » est un homme bon, et de cœur pur, il vivra toute sa vie dans l'attente de son triomphe, en pleine euphorie, comme ces fous souriants et graves qui croient être Jésus-Christ ou Napoléon. Il dira – et il finira par le croire – qu'on le joue continuellement à Prague, à Budapest, à Montréal.

Si l'« anti » est un homme ordinaire, il ne sortira plus qu'avec son piédestal sous le bras, et tentera d'assommer, à coups de piédestal, tous les passants.

Mais il arrive aussi que la critique, ivre de colère contre un auteur connu dont le succès dépasse les bornes, et comme aveuglée par une rage convulsive, se trompe dans son choix d'un « anti ». Il arrive qu'elle porte aux nues la première pièce d'un auteur dramatique-né : sa seconde pièce – ô surprise navrante! – est reçue dans un théâtre des Boulevards, et le soir de la générale, on apprend « qu'il y a dix jours de location d'avance ».

Alors, les articles changent de ton.

L'ex-« anti », déshonoré par un vrai succès, est traité comme un défroqué. Il n'est plus « un véritable tempérament d'auteur dramatique », ni « l'un des mieux doués parmi les espoirs du théâtre français ». On l'appelle, plus simplement, « l'heureux fournisseur des théâtres du Boulevard ». On dit « qu'il fait des concessions indignes de son talent », « qu'il flatte bassement une clientèle digérante », et qu'en somme, « il roule à l'égout ». Il ne sera jamais pardonné, à moins qu'il ne devienne directeur de théâtre ou, mieux, directeur de journal.

Mais voici maintenant le fin du fin, voici le meilleur et le mieux choisi des « anti » : l'auteur lui-même.

Un jour, mon père, après une longue patience, décida qu'il fallait me gifler; mais, craignant que sa main ne fût trop lourde, il saisit soudain mes avant-bras, et, avec mes propres mains, il me donna une paire de gifles; je n'ai jamais reçu de coup aussi cruellement démoralisant, même dans un ring.

Si l'on transpose le procédé sur le plan littéraire, la technique en est très simple.

Lorsque Rostand nous donne *Chantecler,* il faut s'écrier, avec une tendresse apitoyée : « Qu'est devenu l'admirable auteur de *Cyrano*? » Si Natanson fait jouer *Je t'attendais,* on dit, en secouant la tête : « Nous sommes bien loin du *Greluchon délicat.* » Et devant *Les J 3*, on regrette *La Foire aux sentiments...*

Ainsi, le critique prouve publiquement qu'il n'a aucun parti pris, puisqu'il loue (un peu tard) la pièce précédente; il louerait donc tout aussi bien l'œuvre nouvelle, si elle le méritait : mais il ne peut pas, ce n'est pas sa faute, il est bien forcé de dire la vérité !

Enfin, ce genre d'attaque est d'une efficacité redoutable.

Si le critique compare mon œuvre à celle d'un autre écrivain, et proclame mon infériorité, on peut penser : « Chacun son goût », « C'est mon style qui ne lui plaît pas », « Il m'en veut, c'est une querelle personnelle », et autres consolations du même genre. Mais s'il me compare à moi-même, s'il dit que mon œuvre nouvelle ne vaut pas mes dernières œuvres, il constate mon déclin, il affirme ma déchéance.

Eh bien, la critique a grand tort de ne pas aimer le succès, car il n'est jamais facile, dans quelque métier que ce soit.

Certes, il n'est pas la preuve du génie, mais tous les grands écrivains ont eu, de leur vivant, de très grands succès.

Il est vrai que le public est très bienveillant, et qu'il y a plus de « triomphes » que de chefs-d'œuvre, mais tous les chefs-d'œuvre ont eu immédiatement leur triomphe, sauf *Phèdre, Faust* et *Carmen*, qui ont dû l'attendre à cause de la cabale des critiques.

La légende du génie méconnu a été créée et soigneusement entretenue par les écrivains médiocres qui, de tous temps, ont langui dans l'ombre et la pauvreté.

Parce que leurs œuvres n'obtiennent pas la faveur du public, ils sont persuadés que ce public s'égare toujours et ne couronne que des ouvrages sans valeur.

Cette opinion avantageuse qu'ils ont d'eux-mêmes,

il faut la faire partager au lecteur. Mais il est assez difficile de lui dire : « Je suis un grand écrivain, et la preuve irréfutable, c'est que je n'ai jamais eu de succès. » On sait qu'une telle affirmation ferait rire tout le monde.

Alors, ils prennent un détour.

D'un air innocent et apitoyé, ils proclament que Mozart est mort dans la misère, que Stendhal n'eut aucun succès, que Balzac a fait faillite, et que Verlaine, chaque année, n'échappait aux rigueurs de l'hiver que par son entrée à l'hôpital.

Cette tactique est fort habile; elle laisse dans l'esprit du lecteur deux idées très profitables :

1° *Puisque ces hommes de génie n'ont eu aucun succès, les auteurs à succès d'aujourd'hui n'ont certainement aucun génie;*

2° *Les auteurs à l'insuccès constant sont très probablement des Stendhal, des Balzac, des Verlaine ou même des Mozart.*

Eh bien, non, il est faux que Mozart, Stendhal, Balzac, Verlaine aient été des génies bafoués.

Stendhal ne fut pas un méconnu. Un inconnu, oui, par la faute de ses éditeurs qui ne lancèrent pas ses œuvres, par la faute des critiques qui, ayant reçu des exemplaires de presse, n'en parlèrent pas, ou presque pas.

Mozart fut célèbre dès l'âge de cinq ans. Son génie fut toujours universellement proclamé. On peut reprocher aux princes allemands, qui avaient fait sa fortune, de l'avoir laissé mourir dans une misère due à sa générosité. On ne peut rien reprocher au public, qui l'a toujours adoré.

Balzac, dans sa vie, a gagné de très importantes

sommes d'argent. Il a fait faillite dans ses affaires d'imprimerie : ce n'est pas la faute du public.

Quant à Verlaine, « poète maudit », il ne fut maudit que par certains critiques. Peu de poètes ont eu, de leur vivant, un aussi grand succès. Il est certain qu'il allait à l'hôpital; il est même allé en prison, ce qui ne diminue pas sa gloire. Mais sa misère fut due à sa façon de vivre, et non pas à l'indifférence de ses contemporains.

Si haut que nous remontions dans l'histoire des arts, nous ne réussirons pas à trouver un seul homme de grand talent qui ait été délibérément repoussé par le public de son époque. Il est certain que la Vénus de Milo fut payée plus cher que le poids du marbre, et que le Discobole lança, d'une main assurée, un grand nombre de pièces d'or aux pieds de son auteur. Vinci ne fut pas un mendiant, Michel-Ange fut l'ami d'un pape, Molière fut l'ami d'un roi, et Shakespeare vécut dans l'intimité des plus hauts personnages de son temps.

Enfin, plus près de nous, Alfred de Vigny, Victor Hugo, Edmond Rostand, Henry Bordeaux n'ont pas été forcés d'imprimer leurs ouvrages à leurs frais, et c'est le public tout entier qui a fait leur fortune et leur gloire : presque toujours contre la critique, parce qu'elle n'aime pas le succès.

La critique n'aime pas le théâtre

Notre second grief est tout aussi grave, et s'apparente d'ailleurs au premier : non seulement la critique n'aime pas le succès, mais elle n'aime pas l'art dramatique, ni sur la scène, ni sur l'écran.

Henry Becque avait déjà dit :

« Le vrai théâtre est du théâtre de bibliothèque. »

Il doit être content d'avoir, avec ses propres œuvres, atteint son but, puisque ses pièces, qu'on ne voit jamais sur une scène, sont toutes dans les bibliothèques.

Pierre Brisson, qui pourtant n'a jamais eu l'occasion d'être repoussé par le public du théâtre, est du même avis : « Pour les grandes œuvres dramatiques, la représentation n'est qu'un surcroît. » Ce qui signifie clairement que Pierre Brisson n'aime pas le théâtre. Presque tous les critiques sont dans ce cas, et il est bien surprenant de constater que le mot « théâtral », sous leur plume, n'est pas un éloge, mais un terme de mépris.

En revanche, ils adorent tout ce qui n'appartient pas à l'art dramatique, et l'ensemble de la critique s'efforce de juger les pièces ou les films aux seuls points de vue littéraire, ou lyrique, ou plastique, ou philosophique. C'est ainsi qu'il lui arrive de porter au pinacle des œuvres d'une grande valeur, mais qui sont de mauvaises pièces ou de mauvais films, que le public accable de son absence.

Comment une mauvaise pièce pourrait-elle être une œuvre considérable?

Supposons qu'un médecin de génie découvre le secret du cancer. Ce grand savant, à ses moments perdus, écrit des pièces de théâtre, comme tous les médecins.

Il ne parle à personne de sa prodigieuse découverte : il en fait en secret une comédie dramatique. Au second acte, dans la scène capitale, son héros révèle au public stupéfait l'immense victoire que la science française vient de remporter.

Certes, voilà une pièce de théâtre dont on parlera longtemps.

On en parlera longtemps, mais on ne la jouera jamais, si ce n'est pas une œuvre qui ait une valeur *dramatique*.

De même, voici un maharadjah magnifique, qui vient d'acheter une Delage grand sport; il fait remplacer le bouchon du radiateur par une émeraude géante, il ordonne d'ajouter au moteur cinq ou six carburateurs en or, finement ciselés dans d'énormes pépites.

Ces enrichissements de la noble voiture ont centuplé son prix, mais non pas sa vitesse. Il est même certain que la température du radiateur fera éclater le bouchon d'émeraude; les carburateurs en or, œuvre d'un orfèvre-bijoutier, mais non pas mécanicien, sont éternellement noyés, et le prince du Bengale remonte sur son éléphant.

Or, la majorité des critiques adore les carburateurs en or, même – et surtout – s'ils ne carburent pas. Nous avons cité plus haut Henry Becque, grand écrivain, mais auteur dramatique médiocre. Nous pourrions en citer bien d'autres, qui sont vivants : ne faisons de peine à personne. Mais, pour ne pas laisser Becque tout seul, et pour faire honneur à ce grand honnête homme, ajoutons ici les titres de trois autres mauvaises pièces, de trois pièces mal faites, et dont l'intérêt est à peu près nul : le *Faust* de Goethe,

Le Misanthrope et *Bérénice*. Ce sont des sommets littéraires, des œuvres auxquelles rien ne peut se comparer. Mais *Œdipe roi, Hamlet, Andromaque, Le Malade imaginaire* ou *Cyrano de Bergerac,* sont des sommets de l'art dramatique. Nous dirons même – ce qui fera sourire Pierre Brisson et Robert Kemp – que, sur une scène, des œuvres telles que *Les J 3, Jean de la Lune, Knock, La Prisonnière, La Femme nue,* sont d'un plus grand intérêt *théâtral* que *Bérénice* ou *Le Misanthrope* : quand on se propose de taper une lettre, une Remington a plus de valeur que le clavecin de Mozart, et je ne crois pas diminuer la gloire du grand Pasteur si j'affirme ici même qu'il n'aurait pas pu danser *La Mort du cygne.*

Tant que la critique dramatique refusera d'aimer et d'admirer l'art dramatique, elle ne pourra l'aider, et son influence restera nulle.

Les critiques songent à leur œuvre

Voici enfin notre troisième grief : lorsqu'un critique – même un vrai – est assis dans son fauteuil, le soir de la générale, il donne l'impression qu'il n'est pas venu pour juger l'œuvre d'un autre, mais pour *composer la sienne* : la lecture de son article confirme souvent cette impression.

Il est bien évident qu'un critique a le droit d'avoir des prétentions littéraires, et que Sainte-Beuve, Sarcey, Lucien Dubech furent de véritables écrivains.

Mais il y a beaucoup de journalistes qui, n'étant ni Sarcey, ni Dubech, essaient de montrer, eux aussi, une personnalité remarquable.

Ceux de la basse critique sont capables d'écraser une œuvre à seule fin de placer un bon mot, entendu la veille dans un salon ou au restaurant.

Ceux de la moyenne critique veulent se composer un personnage ou, comme l'on dit, se « faire un nom », aux dépens des œuvres des autres. Il est clair qu'on ne peut profiter du travail et du talent d'un autre qu'en le jugeant d'assez haut, et sur un ton protecteur.

Ceux de la haute critique s'efforcent d'écrire un feuilleton d'une belle tenue littéraire, qui bien au-dessus de l'œuvre proposée se rattache à leur feuilleton précédent, fasse prévoir leur feuilleton suivant, serve à justifier leur esthétique personnelle, consolide la série de leurs jugements et cimente l'unité de leur œuvre.

Lorsqu'ils vont voir une pièce ou un film de Marcel Achard, de Jean Anouilh ou d'Armand Salacrou, il semble que ces auteurs n'aient écrit leur pièce que pour donner aux critiques l'occasion de montrer leur science, leur goût, leur philosophie et, pour tout dire, leur talent.

Eh bien, non, cent fois non. Un critique, c'est un juge. Si un magistrat, féru de littérature, rédigeait ses arrêts en vers, et qu'il choisît les condamnations selon la démarche de ses strophes, et pour la richesse de la rime, il ne serait qu'un fou criminel. Cent fois moins criminel est le critique, mais tout aussi peu raisonnable. Car, même s'il ne s'agit que de littérature, de musique, ou d'art dramatique, la fonction de juge est la plus noble et la plus audacieuse qui soit.

Il faut être bien sûr de soi pour accepter la mission de juger les autres, et bien plus prétentieux encore pour se la donner à soi-même, surtout lorsque personne ne songerait à vous l'offrir. C'est pourquoi il est nécessaire de s'en montrer digne, en jugeant avec prudence, avec modestie, avec humilité. Il faut juger d'en bas, à moins de se croire Dieu : il est vrai que ce genre de folie est de plus en plus répandu.

Quant à l'élégance de leur feuilleton, ou à l'unité de leur système, les critiques devraient se rendre compte que la grande majorité des lecteurs n'y songe guère : les lecteurs veulent d'abord être renseignés et savoir ce que vaut la pièce dont la critique a mission de lui parler.

Le ton de la critique

Voici enfin son défaut quatrième et dernier : je veux dire le ton de la critique, et le timbre de sa voix. La critique n'est ni respectueuse, ni amicale; elle n'est même pas toujours polie. Il faut donc une fois pour toutes lui dire honnêtement notre avis sur ses façons.

« *Messieurs les critiques lorsque vous jugez les auteurs, n'oubliez jamais que, sans vous, ils continueraient d'écrire leurs œuvres : mais que s'ils n'écrivaient pas, vous n'écririez plus. Ne leur parlez donc pas sur un ton magistral et dédaigneux comme un régent de collège à des élèves de sixième, et comme si vous étiez capables de faire mieux qu'eux. Tout le monde sait bien qu'il n'en est rien, et vous le savez mieux que personne, surtout si, en secret, vous l'avez tenté, sans y réussir. »*

Résultats

Les défauts de la critique ont eu d'importants résultats. Un certain nombre d'auteurs, et non des moindres, semblent avoir été dévoyés par le dénigrement de leurs meilleures qualités et l'éloge unanime de leurs erreurs.

Un très grand dramaturge fourvoyé par la critique, c'est Steve Passeur.

Ses premières pièces révélèrent un véritable écrivain de théâtre, dont le défaut principal était de pousser la violence des sentiments et la rapidité des volte-face jusqu'à l'invraisemblance la moins acceptable.

La critique unanime l'en félicita et le cerna d'un demi-cercle applaudissant, qui le poussa vers son erreur. Steve, qui était bien jeune, se laissa prendre : au lieu de donner à ses personnages cette unité profonde qui est la preuve de la vie, il s'ingénia à les disloquer; il organisa systématiquement le désordre, il leur prêta sans cesse des répliques qui contredisaient les précédentes, et cet auteur, né pour le succès, fit des efforts considérables pour mériter deux douzaines de fours.

Deux fois seulement, échappant aux louanges, il obtint la faveur du grand public. La première fois, ce fut *L'Acheteuse*. Sa réussite lui fut pardonnée, parce qu'elle avait lieu à l'Œuvre, dont le courage et le passé désarment les censeurs. La seconde fois, ce fut *Je vivrai un grand amour*. La critique en fut assez mauvaise, et la seconde preuve de la valeur théâtrale de la pièce, c'est qu'elle a dépassé la millième représentation.

Steve Passeur est très jeune. Il n'est pas perdu.

Un autre cas est celui de Bernard Zimmer. Dès sa première pièce, les vœux de la critique furent comblés. Elle voyait enfin un auteur nouveau, dont l'écriture dramatique unissait la force et l'agilité; il était spirituel, observateur, psychologue pénétrant, et il avait le don suprême : il savait créer la vie.

Par bonheur, plus noir que Becque, et féroce comme un Canaque.

La critique loua cette noirceur, elle caressa le sombre pelage de « cet animal carnassier qui croque le fer et ronge l'acier ».

Bernard Zimmer – qui est la bonté même – s'appliqua longuement à noircir sa noirceur et mitonna, à petit feu, dans une pourrissante marmite, les sauces verdissantes dont il empoisonna ses flèches.

Une seule fois – il était peut-être pressé, ou peut-être dans une crise de paresse – il montra le vrai visage de son talent, et il écrivit, de sa plume ordinaire, *Bava l'Africain*. Œuvre joyeuse, jeune, théâtrale. Ce fut un vrai succès : mais la critique veillait.

En quatre pas et un saut, elle rattrapa le fuyard. Après une admonestation sévère et quelques passes magnétiques, il fut regoudronné, remplumé, rencanaqué et, malgré ses faibles protestations, on lui remit en mains son arc, ses flèches et son boomerang. Depuis ce jour, il erre sous la forêt des Iles, charmeur d'oiseaux qui se croit mangeur d'hommes.

Sa seule chance de salut, c'est l'usage du boomerang. Cette arme, en effet, chaque fois qu'elle manque son but, revient, dans une sifflante colère, frapper la mâchoire de l'envoyeur.

Il est permis d'espérer qu'un jour, le choc brutal de cette hirondelle de bois réveillera le faux Canaque, sous l'ombre parfumée d'un baobab : alors, il reprendra conscience de Bernard Zimmer, demi-frère d'Édouard Bourdet, et neveu français de Bernard Shaw.

Je pourrai en citer bien d'autres, comme le grand écrivain qui nous donna *Jean de la Lune*.

Parce que la critique n'admira jamais que sa « fantaisie », Marcel Achard s'est pris d'abord pour un « fantaisiste », puis pour « Le Fantaisiste ». Cette déplorable erreur aurait pu le mener fort loin. Il n'y a pas bien loin de fantaisiste à farfelu, et chacun sait qu'aux environs de l'âge mûr, le farfelu, par une métamorphose naturelle, se transforme en plaisantin.

Mais, plaisanterie inattendue, – et la meilleure qu'il nous ait faite, – Marcel Achard vient d'offrir à la littérature française un authentique chef-d'œuvre, qui s'appelle *Auprès de ma blonde*.

La technique en est aussi neuve que celle de Pirandello, l'action est d'une extrême vivacité; le dialogue a le son d'une cloche d'argent, et tous les personnages vivent d'une vie plus intense et plus nette à mesure que nous remontons avec eux le cours des années.

J'ai lu quelque part qu'il s'agissait d'une « réussite exceptionnelle ». Non. Réussite normale d'un auteur exceptionnel. La critique a dû s'incliner. Bien sûr, elle n'a pas fait le grand salut de cérémonie. Elle a simplement, au passage, soulevé son chapeau melon. Un salut correct, sans plus. Là-dessus, elle a chanté, à l'unisson, un chœur triomphal à la louange des acteurs qui jouent la pièce. Certes, ce sont de parfaits comédiens, et jamais on ne vit représentation aussi nette, exécution aussi pure, aussi pittoresque, aussi brillante. Mais enfin, ce qu'ils disent, ce n'est pas eux qui l'ont écrit. Il semble que leur louange ait été légèrement exagérée, aux dépens de l'auteur, comme toujours. Peu importe.

Marcel Achard vient de se révéler à lui-même. Il n'écoutera plus les mauvais conseils, ni même les bons.

Auprès de ma blonde n'est que la première pièce d'une série de grandes œuvres dramatiques, œuvres annoncées – aussi sûrement que les trains sur les tableaux des gares – par *Jean de la Lune, Malbrough* et *Voulez-vous jouer avec moâ?* Marcel Achard est sauvé. Mais d'autres ont été perdus.

Tel est le grave reproche que nous faisons à l'ensemble de la critique : parce qu'elle n'aime pas le théâtre, elle attire les jeunes auteurs hors des limites du théâtre; parce qu'elle méprise le succès, elle les pousse sur la pente de leurs défauts, et les éloigne de la réussite.

Cette fois, j'ai tout dit, tout ce que j'avais sur le cœur; et l'injustice inévitable de certains de mes reproches suffit à me consoler des petites iniquités qu'il m'est arrivé de subir.

Maintenant, il faut parler aux vrais critiques, et leur demander l'aman. Mais avant de faire cette démarche, qui ne me paraît nullement humiliante, je voudrais dire un mot de notre passé. Il n'est pas bien loin : mais enfin, c'était le temps où les tramways grinçaient dans Paris. Celui de Malakoff avait deux étages. Il n'en reste plus que des rails.

7.

IL y avait à cette époque des restaurants à trois
francs, des journaux à deux sous, de la bière cré-
meuse et de belles crémières qui avaient de gros seins
et qui riaient toujours.

Il y avait aussi un gang de jeunes auteurs, qui
étaient presque tous des journalistes. Les uns étaient
à *Comœdia,* sous la direction d'André Lang, qui
faisait de touchants efforts pour avoir l'air d'un
homme mûr afin d'honorer son titre de rédacteur en
chef; les autres étaient alignés sur les balcons de
Bonsoir, d'où ils crachaient sur les passants.

Seul d'entre nous, Jacques Théry était riche. Il
offrait des bijoux aux comédiennes, et il avait un
véritable appartement dans lequel nous avons tenu
un grand nombre de nos réunions. Pas toutes, bien
sûr; car nous étions assez souvent chez l'un ou chez
l'autre, au hasard des rentrées d'argent.

Steve Passeur avait, lui aussi, un appartement, et
même une voiture qui pouvait porter jusqu'à trois
personnes. Marcel Achard aussi avait un appartement : mais c'était dans une loge du Théâtre de
l'Atelier, au-dessus de l'écurie du cheval qui repré-
sentait le luxe insultant de Charles Dullin. Et moi

aussi, j'avais un appartement. Mais il était vraiment bien petit, et je n'avais pas assez de chaises... C'est pourquoi nous étions souvent chez Jacques Théry, notre nabab, dont la puissance financière échappait à toute mesure, puisqu'il traversait, avec la sérénité d'un tank, des additions de cinq et six cents francs.

Avec ceux que je viens de citer, le gang comprenait Léopold Marchand, Henri Jeanson, Roger-Ferdinand, Jacques Natanson, Jean Sarment, Paul Vialar... Et, de temps à autre, Armand Salacrou, Paul Nivoix ou Jacques Deval venaient se joindre à nous : ce n'était pas une mauvaise équipe.

Parfois, jusqu'à l'aube, nous parlions de nos œuvres futures, et celui qui avait fini d'écrire un acte le lisait à ses camarades qui étaient, le plus souvent, assis par terre à côté d'un verre de whisky.

Nous étions tout le contraire d'un cénacle, c'est-à-dire d'une société d'admiration mutuelle. Le lecteur était souvent interrompu par des bâillements concertés, des ronflements simulés, ou des encouragements ironiques tels que : « Voilà du nouveau! On n'osait plus faire ça depuis Scribe », ou des supplications véhémentes : « Oh, je t'en supplie, relis-nous ça! Si tu as pitié, relis-nous ça, et mets-y l'intonation! »

L'auteur se rebiffait aussitôt, et donnait des explications, souvent couvertes par des ricanements et des cris d'animaux. Quand ces manifestations étaient terminées, chacun buvait un grand coup; puis, l'auteur renfrogné s'écriait sur le mode agressif :

— Je me permettrai de demander à monsieur Passeur, dont le dernier four est en train de ruiner Lugné-Poe, ce qu'il aurait fait à ma place.

Monsieur Passeur répondait dignement :

— D'abord, il est faux que ma pièce soit un four.

Elle marche au contraire à merveille : hier au soir, nous avons refusé du monde.

— Il est insensé de refuser du monde quand il n'y a personne dans la salle...

Après ces escarmouches, la vraie discussion commençait. Chacun présentait sa critique, chacun offrait un conseil, un remède, une solution. Et parfois, même, l'un des railleurs de tout à l'heure allait s'asseoir devant un cahier, et rédigeait en hâte une ébauche de la scène qu'il proposait... De ces cris et de ces querelles fraternelles, un certain nombre d'œuvres modernes sont sorties meilleures, plus riches, mieux agencées : *Jean de la Lune, Suzanne, L'Acheteuse, Topaze, Le Fruit vert, Durand bijoutier, Nous ne sommes plus des enfants, Chotard et Compagnie, Jazz, Malbrough s'en va-t'en guerre, Les Tricheurs, Marius, Léopold le bien-aimé, Eve toute nue, Le Greluchon délicat, Toi que j'ai tant aimé, Le Dompteur*, et bien d'autres qui n'ont pas eu toutes le même succès...

Quelques jours avant une générale, le coupable recherchait plus fréquemment la société de ses amis, il les entraînait à ses répétitions. Et quand venait le soir de l'épreuve, nous étions tous dans la salle, fort judicieusement placés à côté des principaux critiques.

Nous préparions l'atmosphère par des conversations appropriées. Nous annoncions — et ce n'était pas toujours vrai — que la pièce était retenue par Max Reinhardt, par Gilbert Miller ou par Stanislawsky. Ces révélations étaient faites à mi-voix, mais de façon que nos voisins n'en perdissent rien.

Pendant le jeu, nous marquions adroitement les effets comiques, nous applaudissions les sorties et, à la fin de chaque acte, nous arrachions un rappel de plus.

Nous restions un moment dans les couloirs, pendant l'entracte, pour écouter les conversations. Puis, tout le monde se retrouvait en coulisse, autour de l'auteur blafard.

— Pioch a dit : « C'est le meilleur premier acte que j'aie vu depuis longtemps. »

— Antoine est content. Il vient de dire à Darzens : « Moi, j'aime beaucoup ça. »

— Je suis à côté de Brisson, il a ri deux fois.

— Sans blague?

— Bien sûr, il n'a pas ri aux éclats, comme tout le monde. Mais il a fait une espèce de sourire, comme une personne de bonne humeur.

— Kemp a dit : « Non, ce n'est pas un chef-d'œuvre. »

— Tu l'as entendu?

— Il l'a dit devant moi à Franc-Nohain.

— Merveille! C'est le plus grand éloge qu'il ait prononcé depuis qu'il est né...

A la fin de la pièce, quand on annonçait le nom de l'auteur, nous poussions des cris d'un enthousiasme sauvage, même quand « ça n'avait pas très bien marché ». Car nous étions une cabale fraternelle, et nous mettions le parti pris et l'injustice au service de l'amitié.

Je sais bien aujourd'hui que ces manœuvres ne pouvaient assurer le succès d'une œuvre dramatique : mais elles avaient une influence sur la critique, et elles épargnaient à l'ami malheureux la brûlure incurable d'un « four ». Deux ou trois jours d'un espoir illusoire sont suffisants pour que l'auteur, au lendemain d'une générale, ait commencé une nouvelle pièce.

Mais je connais de véritables écrivains dont la

carrière a été, sinon brisée, du moins retardée, et peut-être amoindrie, un soir, à minuit moins dix, par un grand silence et deux coups de sifflet.

Quand « ça marchait », quelle joie, quelle fête et quelle amitié!

Le plus beau souvenir de ma vie, c'est un soir de générale. J'étais le coupable. Vers le milieu du premier acte j'avais lâchement fui les coulisses, et je m'étais réfugié au dernier étage du théâtre, dans une loge abandonnée. Par une fenêtre mansardée, je voyais des toits. Je n'entendais rien, sinon le passage des taxis devant la Bourse. Enervé par deux mois de répétitions, irrité par des coupures que j'avais faites moi-même, je me répétais à voix basse quelques phrases que j'avais entendues la nuit précédente pendant qu'on réglait les éclairages :

« Ce n'est pas une pièce pour la maison. »

Un machiniste avait dit : « Si ça pouvait tenir trois mois... »

Il le souhaitait d'ailleurs de tout son cœur, car il craignait d'avoir à répéter, dès le lendemain, une comédie nouvelle. Un vieil acteur avait dit : « Ça, *c'était* une pièce pour Jouvet. » Cet imparfait m'avait accablé. Dans cette étroite loge, où la fumée de mes cigarettes commençait à m'asphyxier, je découvris, sur une vieille table à maquillage, un agenda crasseux sur lequel une habilleuse avait fait ses comptes, au temps de Brasseur et de Jeanne Granier. J'avais un crayon dans ma poche : je me mis avec une grande application à refaire ma pièce. J'allais de découverte en découverte, j'inventais sans efforts des scènes de génie, je trouvais de foudroyantes répliques. (J'ai brûlé ces scènes le lendemain; elles étaient parfaitement imbéciles, et d'ailleurs incompréhensibles.) Comme j'étais au sommet de mon inspiration,

157

j'entendis des courses dans l'escalier. On ouvrait, on fermait les portes. J'attendis, tremblant : la porte s'ouvrit brusquement. Cinq ou six hommes entrèrent, hors d'haleine : Steve, Marcel Achard, Jeanson, Ferdinand, René Simon, Jacques Théry, Paul Nivoix, Léopold Marchand dont la haute taille les dominait tous : une très petite larme brillait dans le grand sourire de Léopold, et j'appris le succès de *Topaze* sur les beaux visages de l'amitié.

Bien sûr, nous ne demanderons pas à Pierre Brisson, à Robert Kemp, à Jean-Jacques Gautier, de nous aider à refaire nos pièces, ni de pleurer sur nos malheurs, ni même d'être heureux de nos succès.

Nous pourrions leur demander de ne pas s'en irriter et de ne pas sembler croire que nous fomentons méchamment des cinq-centièmes dans le seul but de les « exorbiter ». Pourquoi ne seraient-ils pas nos amis? Nous y gagnerions beaucoup; ils n'y perdraient rien.

Il faut que je parle un instant à Pierre Brisson, parce qu'il est indispensable qu'un jour quelqu'un lui parle honnêtement.

Pierre Brisson, n'aurez-vous pas un petit regret si je vous dis que votre grand talent n'a jamais servi qu'à vous-même?

Cette intelligence pénétrante, ce sens du théâtre si finement aiguisé par le mépris que vous avez pour lui, cette érudition si exacte qui exhume les grands morts pour en accabler les vivants, ce style si vif et si clair, qui vous a aidé depuis trente ans à faire briller nos défauts et nos erreurs, ne les mettrez-vous jamais au service de ceux qui essaient péniblement de créer des œuvres, et dont l'effort n'est jamais méprisable?

158

Si vous l'aviez voulu, le théâtre de ces dernières années aurait pu être meilleur. Il nous fallait notre Boileau, notre Sainte-Beuve, notre Sarcey : nous l'avions : il était né. Mais il n'a rien dit d'utile. Il n'a pas voulu.

Et vous, Robert Kemp, vous nous avez longtemps assez traînés dans la boue : j'ai le droit, à mon tour, de vous retenir par le bouton de votre paletot pour vous dire, sans amertume, ce que je pense de vous.

Robert Kemp, votre talent a notre estime et parfois notre admiration.

Nous aurions bien voulu vous offrir aussi notre reconnaissance, comme nous l'avons déjà dédiée à la mémoire d'Antoine, de Lugné-Poe, de Dubech, de Pawlowski, de Paul Souday, de Darzens, ou à la présence précieuse de Charles Dullin, de Gaston Baty, de Louis Jouvet...

Cette reconnaissance, nous ne savons plus qu'en faire, parce que vous n'avez pas tendu la main pour la prendre. Vous en êtes moins riche : vous l'avez bien voulu.

Et il faut même que je vous dise une chose importante et triste : vos éreintements n'ont nui à personne, mais vous auriez pu aider tout le monde. C'est tant pis pour nous, c'est aussi tant pis pour vous.

8.

Ici le lecteur m'arrête et me dit :

– Cher monsieur, j'allais accepter vos conclusions : la critique théâtrale n'a à peu près aucune importance, la critique de cinéma n'en a pas du tout. Dans ce cas, pourquoi nous en parler si longuement ? Pourquoi cette homélie à Pierre Brisson et à Robert Kemp ?

Précisément parce que nous croyons à l'utilité de la critique, et qu'il est nécessaire de la ressusciter.

Elle a perdu son pouvoir temporel. Elle ne le retrouvera jamais, sinon sous des régimes de tyrannie. Mais nous voudrions lui rendre son pouvoir spirituel : son influence sur l'esprit des auteurs et sur la formation de leur talent pourrait être plus grande et plus pressante qu'elle ne le fut jamais.

Au lieu de parler pour le public, qui ne l'écoute guère, la critique devrait parler pour nous, qui l'écouterions attentivement, si elle avait quelque chose à nous dire.

Les auteurs ne demandent ni des éloges ni des sarcasmes, mais des conseils.

Ce n'est point pour la comédie ou le film d'hier que vos avis nous seraient utiles, mais pour ceux de l'année prochaine.

Georges Pioch, Léon Treich, Gabriel Boissy, Paul Achard, André Warnod et l'admirable Paul Léautaud sont pour moi des modèles, parce qu'ils m'ont appris quelque chose. Ils nous ont donné du courage, ils nous ont donné des conseils; parfois avec malice, ou même sur un ton de mauvaise humeur : mais c'étaient nos échecs qui les faisaient grogner, car ils étaient heureux de nos réussites, et nos pièces en furent meilleures.

Un grand nombre d'autres critiques pourraient aussi collaborer aux œuvres de l'art dramatique contemporain : et non seulement ils rempliraient ainsi leur devoir, mais encore ils en auraient la meilleure récompense, celle des grands critiques d'autrefois.

Ce qui nous reste d'André Antoine, mon maître bourru et bien-aimé, c'est *Poil de Carotte,* c'est Emile Fabre, c'est Courteline. Ce qui nous reste de Lugné-Poe, c'est Ibsen, Sarment, Roger-Ferdinand, Passeur, Salacrou. Ce qui reste du grand Sarcey, c'est Becque, Dumas fils, Emile Augier. Ce qui reste de Boileau, c'est *Le Misanthrope.*

Mais de la plupart des censeurs de notre temps, que restera-t-il? Rien, parce qu'ils semblent croire que nos succès sont leurs échecs, et que la valeur d'un critique, comme celle d'un boxeur, se mesure par le nombre et la puissance de ses coups.

Eh bien, non. Celui qui ne veut pas me servir de guide, et qui ne porte pas fraternellement sa lanterne devant moi, celui-là n'est pas un critique, et il ne mérite pas de vivre de nous.

Quant à ceux qui n'ont pas de lanterne, et qui trébuchent en ricanant dans une épaisse obscurité, et qui lancent sur chaque passant une volée de pierres et d'injures, ceux-là, je ne leur en veux pas : ils me semblent assez punis par leur inutile souffrance. Pourtant, je n'en ai pas pitié : l'envie, cette lèpre du cœur, est une atroce maladie : mais on ne peut l'avoir sans la mériter.

Monte-Carlo,
janvier 44-février 49

DISCOURS À L'ACADÉMIE FRANÇAISE

Discours prononcé
dans la séance publique
tenue par l'Académie française
pour la réception de
M. Marcel Pagnol

le jeudi 27 mars 1947

M. Marcel Pagnol, ayant été élu par l'Académie française à la place vacante par la mort de M. Maurice Donnay, y est venu prendre séance le jeudi 27 mars 1947 et a prononcé le discours suivant :

Messieurs,

Le règlement, et surtout la reconnaissance, m'imposent de commencer ce discours par un profond et sincère remerciement; mais ma présence parmi vous me paraît si insolite que je vous dois une explication : non pas de votre choix, dont vous êtes seuls maîtres, mais des circonstances qui m'ont amené à solliciter vos suffrages.

Certes, je ne vous dirai pas mon grand étonnement de m'entendre parler sous cette coupole, je ne feindrai pas la surprise, je ne dirai pas : « Comment est-il possible que vous ayez pensé à moi? » Je sais bien que j'y ai pensé le premier, et je me souviens d'avoir écrit, à l'adresse de M. le Secrétaire perpétuel, une

165

lettre fort explicite, par laquelle je me proposais délibérément à votre choix. C'est cette décision, au moins prématurée, que je vous demande la permission de justifier.

Nous étions au lendemain de la capitulation de l'Allemagne, c'est-à-dire à la fin de nos véritables malheurs.

Pendant les cinq années que dura la guerre, l'Académie avait décidé de ne point réparer ses pertes; parce qu'elle craignait l'ingérence des puissants du jour, elle refusa de faire un choix qui n'eût pas été entièrement libre.

Cependant, la Providence ne voulut point lui tenir compte de la dignité de cette attitude; en cinq ans, quinze membres de la Compagnie partirent pour un monde que l'on dit meilleur, mais qui, à cette époque, ne pouvait être pire.

Lorsque M. le Secrétaire perpétuel ouvrit enfin les portes, il vit, alignées tout au long des murs de la cour d'honneur, une centaine de personnes qui applaudirent sa venue sans rien perdre de leur dignité et s'avancèrent en rangs serrés. Effrayé par le nombre, il referma les grilles et convoqua les plus sages de l'Académie pour en délibérer.

Je passais par hasard, messieurs. Je vis cette longue file, et je crus, de loin, que j'approchais de l'un de ces théâtres d'ombres que l'on appelait autrefois des cinématographes, que nous appelons cinémas, que nos enfants appellent ciné, et que nos petits-fils appelleront Dieu sait comment si l'Académie n'y met bon ordre.

En quelques pas, je fus détrompé, car je reconnus dans cette queue un bon nombre de personnes d'un grand mérite, généralement trop occupées par leur rêve intérieur pour en acheter de tout prêts, et qui ne vaudraient pas les leurs.

D'un air faussement indifférent, je fis deux ou trois allées et venues, saluant au passage ceux que j'avais l'honneur de connaître, scrutant à la dérobée les visages qui m'étaient nouveaux. Et j'essayais d'estimer le poids du bagage littéraire que chacun d'eux portait sous son bras.

J'allais partir, découragé, lorsqu'une voix me dit à l'oreille :

— Il n'y a là aucun auteur dramatique.

Je fis une nouvelle revue de l'imposante troupe. Je vis quelques écrivains qui avaient obtenu, au théâtre, de brillantes réussites, mais dont l'œuvre littéraire était le mérite principal.

Je songeai ensuite que, dans le sein de l'Académie elle-même, il ne restait aucun auteur dont la gloire théâtrale ne fût dépassée par la gloire littéraire...

A ce moment, la voix me dit encore :

— L'Académie a toujours compté dans ses rangs au moins quatre hommes de théâtre, elle en a reçu jusqu'à sept...

Cette remarque me fit réfléchir. Je me souvins alors que mes confrères venaient de me faire un grand honneur, en me confiant la présidence de la Société des auteurs et compositeurs dramatiques.

Trente-sept de nos présidents avaient siégé sous la Coupole, et Maurice Donnay, qui venait de nous quitter, avait lui-même été l'un d'eux. Cette idée, je l'avoue, m'induisit en tentation. Cependant, j'hésitai longuement, et la fausse modestie, naturelle à tous les hommes, et bien plus puissante que la vraie, aurait peut-être triomphé, lorsque je fus brusquement jeté en avant par une force invincible, celle-là même dont je venais d'apprendre l'existence par la lecture d'un petit ouvrage philosophique qui traitait de la psychologie des foules. Cet ouvrage affirmait, entre autres choses, que la loi de Newton s'appliquait aux hommes comme aux astres, et que tout individu isolé, passant à proximité de l'une de ces files d'attente que l'on appelle des queues, ressentait une attraction proportionnelle à la longueur de la file et au magnétisme des personnes qui la composaient.

La longueur de la file était considérable, son magnétisme irrésistible : de plus, je n'eus point le courage de démentir une loi qui justifiait si clairement mon ambition : sans faire de bruit, et les yeux baissés, je pris mon rang qui était le dernier. Votre indulgence a fait le reste; elle m'a mis à la place où je suis aujourd'hui, et d'où j'ai l'honneur de vous remercier.

Je vous demande maintenant la permission de consacrer quelques mots au souvenir de deux grands auteurs dramatiques; je veux parler de Jean Giraudoux et d'Edouard Bourdet. Je dois à tous deux une reconnaissance égale à mon admiration : c'est parce qu'ils avaient porté si haut la gloire de la scène française que l'Académie a jugé indispensable d'élire un auteur dramatique : ce fut leur façon de voter pour moi.

Je sais aussi que si la mort ne les avait appelés, au sommet de leur carrière et de leur talent, ils siégeraient aujourd'hui parmi vous, et que ma présence sous cette coupole n'est que la preuve de leur absence. J'ajoute, enfin, messieurs, qu'une récompense imméritée est la plus douce des injustices, tout au moins pour celui qui en est l'heureuse victime. Mais elle impose des devoirs. Je saurai ne point les méconnaître : soyez assurés que, dans la mesure de mes moyens, mais avec toute la force de la reconnaissance, j'essaierai de justifier votre choix.

Lorsque vous m'avez confié l'honneur de prononcer l'éloge de Maurice Donnay, plusieurs personnes ordinaires, et même deux immortels, m'ont dit :

– Vous avez de la chance. Il avait tant d'esprit! Il vous sera facile de composer l'éloge le plus spirituel du monde...

Je fus naïvement de cette opinion, jusqu'au moment où je commençai ce panégyrique. Je m'aperçus alors que ce n'était pas lui qui le rédigeait, et qu'il me fallait compter, non pas sur son esprit, mais sur le mien.

Cette découverte me jeta dans un vrai désarroi. Il me vint aussitôt l'idée de relire encore une fois tout ce qu'il avait écrit dans sa vie, et jusqu'aux articles de journaux; mais, au rebours de certains auteurs, dans les œuvres desquels il serait possible de trouver leur éloge tout préparé, Maurice Donnay n'a jamais parlé de lui-même, si ce n'est pour critiquer les productions de son talent, et pour dire qu'il n'était qu'un « inventeur de divertissements » : si bien que de tous les ouvrages littéraires, son panégyrique est le seul que je sois assuré de faire mieux que lui.

Maurice Donnay naquit à Paris, le 12 octobre 1859, dans une modeste maison du passage Sandrié.

Son père, venu du Mans, avait fait toutes ses études dans la capitale. Sorti de l'Ecole centrale dans un bon rang, il était ingénieur des Chemins de fer du Nord.

Sa mère, Pauline Béga, était née à Paris.

Notre auteur est donc un Parisien de race presque pure.

Cette espèce est en somme assez rare, surtout

parmi les auteurs dramatiques, sans qu'il soit possible d'expliquer pourquoi.

Jusqu'à son adolescence, il fit de très brillantes études. Elles furent cependant interrompues par le siège de Paris et par la tragédie de la Commune. Il les avait commencées dans des pensions privées, il les continua dans les lycées d'autrefois, où la discipline était d'une sévérité militaire.

Déjà sa vocation s'affirmait. Il nous dit, dans ses souvenirs : « Faire des vers, des pièces de théâtre, des romans, des articles même, écrire, écrire en un mot rien ne me paraissait plus enviable et plus noble. » Et voici qu'un proviseur, perspicace autant que bien informé, ajoute, à la fin d'un bulletin trimestriel, cette note : « Enfant rêveur. Ses camarades l'appellent " Le poète ". »

Malgré cette révélation inquiétante, ses parents le conduisent, pour la première fois, à la Comédie-Française. Il y voyait *Jean de Thommeray,* d'Emile Augier. Cette représentation produisit sur l'adolescent une impression profonde : il acheta aussitôt le portrait de Mlle Croisette, puis celui de Mlle Baretta, et les garda désormais, dans son portefeuille, précieusement serrés contre son cœur. Six mois plus tard, une représentation de *L'Ecole des femmes,* en lui révélant le génie de Molière, toucha plus directement son esprit.

Il nous dit : « J'étais transporté dans un autre monde... De cette soirée-là, j'emportai une sensation inoubliable, et peut-être le désir vague, obscur, d'écrire un jour des pièces de théâtre... »

C'est à ce moment que son père, quittant la Compagnie du Nord, acheta un important atelier de mécanique, où l'on fabriquait des machines-outils, et proclama son intention d'en accabler son fils. En conséquence, il décida que le jeune Maurice allait abandonner les lettres pour se consacrer tout entier aux sciences. En son langage d'ingénieur des Chemins de fer, il appelait ce déchirement une « bifurcation ». Le jeune étudiant n'ose pas protester. On lui avait enseigné dès le berceau, et comme une vérité première, qu'il n'y avait rien de plus beau que d'entrer à l'Ecole centrale, et d'en sortir ingénieur.

De plus, ce père n'estimait que le fer, le bronze tendre, l'acier trempé. Pour lui, la feuille de sauge, c'était une lime, une fraise, c'était une toupie tranchante, et même les tarauds n'étaient que des outils...

Maurice Donnay nous avoue : « Si j'avais dit à mon père que je voulais écrire, il m'aurait demandé : " A qui ? " »

Il ajoute : « J'étais voué à l'industrie et, dès les premiers contacts, l'industrie me parut sans attrait.

« J'étais comme un jeune homme à qui ses parents auraient destiné une jeune fille que, dès la première entrevue, il trouverait antipathique... Etait-ce pressentiment des excès du machinisme, de la surproduction, de l'américanisation, de la taylorisation, de tous les maux dont le monde civilisé est en train de mourir ? J'avais l'industrie en horreur... »

C'est pourquoi ses études scientifiques, au lycée Louis-le-Grand, ne furent pas couronnées de succès. Il nous explique son échec par cette précieuse confidence : « Non, je n'ai pas de goût pour les mathématiques. Ça n'est pas chez moi inintelligence complète, ni incompréhension totale. Mais je n'ai qu'une mémoire affective, je ne me rappelle que ce qui atteint ma sensibilité. »

Les mathématiques ne l'atteignirent pas, et l'élève Donnay, refusé à la session de juillet, n'obtint son baccalauréat qu'au mois d'octobre, après deux mois de boîte à bachot.

Pendant deux ans, pour obéir à son père, il se prépare à subir l'examen d'entrée à l'Ecole centrale. Il n'est pas admis. Le jour même, son père reçoit une médaille d'or pour avoir construit une machine à tailler les fraises.

Un an plus tard, il est refusé à nouveau, et s'engage dans l'armée pour y faire son volontariat. Quand il en sort, son père l'habille d'une cotte bleue de mécanicien, et l'installe devant un tour à décolleter... Son rendement fut si misérable qu'on le mit assez vite au bureau de dessin. Il y fit certains progrès, si bien qu'en 1882, son père eut la joie de le voir entrer à l'Ecole centrale, alors qu'on ne l'espérait plus. Il y passa les trois années réglementaires : c'est pourquoi, vingt ans plus tard, Maurice Donnay fut chargé d'écrire l'histoire de la grande Ecole, sur le seuil de laquelle il avait attendu cinq ans.

Ingénieur diplômé, il revint au bureau de dessin et prépara des plans de machines. Il y serait peut-être resté toute sa vie s'il n'avait rencontré, au cours d'une période militaire, un certain Gabriel Bonnet, chimiste dans le civil, mais qui était aussi humoriste, et familier d'un cabaret célèbre, le Chat-Noir.

Il nous faut ici ouvrir une parenthèse.

Il y a des détails qui frappent le grand public beaucoup plus fortement que ne ferait un monument. Ces détails, parce qu'ils sont pittoresques, ou colorés, surgissent comme un relief sur un ensemble : ils arrivent à le cacher à ceux qui ne font pas, comme un acteur qui joue un peintre, trois ou quatre pas en arrière pour élargir le champ de leur vision.

Ainsi, pour la grande masse, nos ancêtres les Gaulois passaient leur vie entière à lancer des flèches contre le ciel. Napoléon n'est qu'un Petit Chapeau qui presse sa main sur son estomac; Denis Papin, c'est la Marmite, et notre vaillant général Cambronne n'aurait jamais dit qu'un seul mot. De même, pour beaucoup de jeunes gens de notre époque – époque peu propice à l'érudition, et même à la connaissance –, Maurice Donnay, c'est le Chat-Noir.

Eh bien, non, ce n'est pas le Chat-Noir.

Nous allons cependant parler de ce cabaret célèbre, non pas pour le dénigrer, ni pour nier l'influence qu'il eut sur l'auteur d'*Education de prince,* mais pour remettre à sa vraie place et réduire à sa véritable importance ce célèbre épisode de sa vie.

Le cabaret du Chat-Noir semble avoir été assez différent de ceux qui font aujourd'hui la gloire de Montmartre. La satire y tenait moins de place, et l'on y disait plus de poèmes que l'on n'y chantait de chansons... De plus, les prétentions littéraires de ces chansonniers étaient si grandes qu'ils se faisaient servir par des garçons de café qui portaient, avec une élégance charmante, le costume de l'Académie; enfin, ils publiaient une revue littéraire qui s'appelait aussi *Le Chat noir,* et qui eut l'honneur d'imprimer les premiers vers de Maurice Donnay.

Il en eut une grande joie, obscurcie soudainement par les malheurs de sa famille.

En effet, les affaires de son père périclitaient. Cet habile mécanicien n'était pas un bon commerçant. Après quatorze ans de lutte, l'atelier de la rue de l'Atlas passa aux mains d'un créancier qui vint à son tour y tremper ses fraises; Maurice Donnay dut quitter sa famille et chercher du travail.

Il se mit au service d'une maison amie, qui assemblait des charpentes métalliques; c'est ainsi qu'il collabora, dans la mesure de ses moyens, à la reconstruction des Folies-Bergère.

Ce travail lui permettait, selon son expression affreuse, de « subvenir à ses besoins ».

Mais il était devenu un habitué du Chat-Noir.

Un soir, ce cabaret, dont la célébrité ne cessait de grandir, donna la répétition générale d'une revue qui s'appelait – on ne sait pourquoi, mais on n'a pas besoin de le savoir – *La Conquête de l'Algérie*.

Rodolphe Salis, gentilhomme cabaretier, poussa Maurice Donnay sur la scène. Le charpentier en fer dut réciter deux poèmes, dont l'un s'intitulait *Quatorze Juillet,* et l'autre, fort aimablement, *Ta gorge;* ils obtinrent un grand succès. Le lendemain, Francisque Sarcey et Jules Lemaître faisaient pour la première fois, dans de grands journaux, l'éloge du talent de Maurice Donnay.

Cette réussite peut, à distance, nous paraître modeste. Mais il nous a dit lui-même que ce jour, qui le délivra de la charpente en fer, fut l'un des plus importants de sa vie.

Au seuil de l'éclatante carrière de l'écrivain, on peut se demander, par une curiosité légitime, quelles furent les causes qui déterminèrent une aussi tenace vocation. Maurice Donnay nous a dit, et comme à voix basse, qu'il s'était déjà posé cette question : « Pour moi, les mécaniciens n'existaient pas, il n'y avait que les poètes. Je n'aimais que la poésie. Il fallait que cette inclination eût en moi des racines bien profondes, et des causes lointaines... »

Il nous sera peut-être permis de hasarder ici une hypothèse assez peu scientifique, mais qui ne manque point d'intérêt.

Maurice Donnay, homme parfaitement sain de corps et d'esprit, n'eut qu'une manie, mais elle était assez singulière. Lorsqu'il avait décidé de consacrer un après-midi à la réflexion, il faisait apporter sur son bureau un gros morceau de mie de pain. Il en arrachait des fragments qu'il roulait longuement en boulettes, entre le pouce et l'index.

Cet exercice n'était pas sans rappeler celui des penseurs orientaux; ils font couler entre leurs doigts pendant des heures, les grains d'ambre d'un chapelet qui n'a aucune signification religieuse, mais ils disent que cette pratique calme les nerfs et les aide à réfléchir.

Or, Maurice Donnay fut un jour extrêmement surpris par la lecture d'un petit livre qui racontait la vie de Béranger. L'auteur y affirmait en effet que, pour célébrer les charmes de sa Lisette ou la gloire de Napoléon, Béranger ne pouvait travailler s'il n'avait à sa portée une livre de mie de pain.

Maurice Donnay fut aussi surpris que nous le sommes en ce moment. Il le fut même plus que nous, parce qu'il savait certains détails que je vais vous rapporter à l'instant même.

Il savait, par exemple, que Béranger avait été l'ami intime de son grand-père et le commensal du ménage, pendant de longues années. Il savait que Béranger s'était sérieusement occupé de l'éducation et de l'instruction de la petite Pauline Béga, qui devait être plus tard la mère de Maurice Donnay; il savait qu'en reconnaissance, Pauline Béga, devenue Mme Donnay, avait donné le nom de Bérangère à la sœur aînée de l'écrivain. Reconnaissance, semble-t-il, méritée : on ne rencontre pas souvent de tels amis.

Et, dès lors, messieurs, tout s'éclaire, et nous tenons la vérité. Il est certain qu'au cours d'une amitié si durable et si affectueuse, la grand-mère de Maurice Donnay a dû se trouver souvent en contact avec le poète.

Il est probable qu'avant de donner le jour à la charmante Pauline Béga, elle a pu voir, par un soir d'hiver, sous la lampe, Béranger roulant des boulettes, c'est-à-dire en pleine inspiration; que ce spectacle l'impressionna si vivement qu'elle légua cette innocente manie à sa fille; que celle-ci n'eut jamais à s'en servir, car les femmes, grâce à leur intuition, ont rarement besoin de réfléchir, qu'elle put ainsi transmettre à son fils une manie qu'elle ne se connaissait pas; et c'est pourquoi le jeune Maurice, dès sa vingtième année, se mit à rouler des boulettes et à faire des chansons.

Aux personnes qui ne me croiront pas, je dirai, avec l'approbation des plus grands médecins de ce temps, que l'embryologie n'est qu'une science en formation, comme son objet; qu'elle n'a pas encore pu expliquer l'origine des cerises, des fraises et des framboises qui égaient parfois (sans l'embellir) le visage des enfants; que le charmant mystère de ces boulettes chansonnières n'est jamais qu'un mystère de plus, et qu'il nous paraît raisonnable d'admettre que, littérairement parlant, Maurice Donnay fut le petit-fils de Béranger.

Il est vrai qu'il a fait assez peu de chansons et que son œuvre poétique, pour l'ampleur et la richesse, ne se peut comparer à son œuvre d'auteur dramatique : mais ces chansons annonçaient ses comédies aussi sûrement qu'un bourgeon annonce un fruit, si l'arbre a la force de le mener à maturité.

En effet, une chanson n'est rien d'autre qu'une fable chantée, et nos pères avaient même inventé le mot « chante-fable », qui a presque disparu, et c'est bien dommage.

Or, toute chanson, comme toute fable, contient la matière d'une œuvre dramatique, avec son thème, ses personnages, son action découpée en actes. La chanson, qui est sans doute plus ancienne, a même conservé le chœur antique, sous la forme du refrain, qui se lamente, se réjouit, énonce des maximes ou répète des conseils.

Si cela est vrai, pourquoi Béranger, prince des auteurs de chansons, n'a-t-il pas écrit pour le théâtre?

Parce que son père n'était pas mécanicien.

A propos de l'art dramatique, la critique parle souvent de construction et d'architecture : il semble que ces comparaisons ne soient pas exactes.

L'architecture ordonne et construit des masses qui ne doivent pas changer de place, ni même trembler. Nous savons en effet qu'un tremblement de terre, c'est-à-dire un frisson de l'écorce terrestre, suffit à détruire des villes entières, comme Lisbonne ou San Francisco.

Or, les véritables œuvres dramatiques ne sont pas des monuments immobiles, ni des architectures minérales.

Ce sont des machines qui se meuvent sous nos yeux, et ceux qui en parlent avec compétence sont forcés de choisir des comparaisons mécaniques.

Ils disent d'une comédie qu' « elle ne tourne pas rond », ils examinent les « ressorts » de l'intrigue, les « rouages de l'action », son démarrage, sa vitesse, ou sa lenteur.

En somme, ils emploient non pas le langage de l'architecte, mais celui de l'ingénieur.

C'est peut-être dans ce bureau où il dessina, de si mauvais gré, tant de bielles, de cames, de rochets et d'épaulements, où il organisa, avec une morne tristesse, le mariage des cycloïdes, l'alignement des arbres et le consentement des paliers, qu'il apprit, sans y penser, par la rigueur de la mécanique, les secrets de la dramaturgie, et qu'il put agrandir ses chansons jusqu'aux dimensions de la comédie.

Certes, nous ne voulons pas dire qu'il suffirait à un chansonnier-mécanicien de faire un stage chez Citroën pour écrire *Asmodée,* ou *Le Soulier de satin.* Nous voulons dire qu'un chansonnier-mécanicien, s'il est d'abord un grand poète, et s'il aime les hommes et les femmes de son pays, peut devenir Maurice Donnay.

A partir de la fameuse soirée du Chat-Noir, il n'est plus nécessaire de séparer la vie de l'écrivain de celle de son œuvre.

Nous dirons seulement qu'après une jeunesse qui connut les orages de la passion, l'écrivain trouva la paix auprès d'une compagne digne de lui; qu'il partagea son temps entre son cher appartement de la rue de Florence et sa propriété du prieuré de Gaillonnet, où il avait coutume de passer la belle saison, et que les principaux événements de sa vie furent ses œuvres dramatiques, et son élection à l'Académie.

Voici à ce propos un dernier trait de son caractère, trait d'une délicatesse assez rare.

Nous avons déjà dit qu'au Chat-Noir, les garçons qui servaient à boire portaient le costume de l'Institut.

Ainsi, les bourgeois peu lettrés et les chansonniers dont le nom n'est point parvenu jusqu'à nous pouvaient se donner le plaisir, en frappant dans leurs mains, de voir accourir l'une de ces caricatures d'académicien.

Si je rapporte ici ce détail, c'est pour la plus grande gloire de l'Académie : avec une sérénité parfaite, avec une indulgence écrasante, elle accueillit, en 1910, le chansonnier de Montmartre qui était devenu un grand écrivain; elle lui accordait ainsi le droit de porter, dans les plus nobles cérémonies, l'habit des garçons de café du Chat-Noir.

Il semble que Maurice Donnay, avec sa conscience

inquiète et scrupuleuse, se soit pardonné moins facilement que ne fit l'Académie : c'est peut-être pour réparer, d'une façon secrète, mais solennelle, cette impertinence de sa jeunesse, qu'il a voulu partir pour l'éternité dans son costume d'académicien.

Il aborda la scène avec une comédie en un acte, qui fut jouée au Casino de la Bourboule, et qui s'intitulait *Eux*. Il ne semble pas que cette saynète ait fait grand bruit dans le monde du théâtre. Cependant, le petit succès qu'elle obtint fut suffisant pour encourager le débutant, et pour confirmer sa vocation.

Il se mit résolument au travail; le 22 décembre 1892, le rideau du Grand Théâtre, que dirigeait alors Porel, se levait sur *Lysistrata,* comédie en quatre actes, d'après Aristophane. C'était en effet une adaptation assez libre, dans tous les sens du mot, de la célèbre comédie grecque.

Le fastueux directeur avait traité le débutant avec une efficace générosité. Il lui avait donné pour interprètes : Réjane, Aimée Tessandier, Napierkowska, Lucien Guitry, Lugné-Poe. Ils précédaient une troupe de trente comédiens du Boulevard, agréablement complétée par « les cent plus jolies filles de Paris ».

Il est certain qu'un tel spectacle s'apparentait aux Folies-Bergère plutôt qu'à la Comédie-Française, qu'on y goûte l'esprit parisien plus souvent que le comique de Molière, qu'on y entend de temps à autre le ronron du Chat-Noir, et que, pour en faire la plus gracieuse des opérettes, il n'eût fallu que des couplets.

C'était à l'époque d'Ibsen, du symbolisme, de la pénombre, des huit sœurs aveugles et de la chasse au Canard sauvage dans le grenier des photographes.

La critique, dans son ensemble, ne fut pas très

bienveillante. Les uns ne virent que le spectacle. D'autres, après avoir longuement regardé les cent plus belles filles de Paris, eurent l'ingratitude d'en blâmer l'emploi.

D'autres enfin examinèrent le texte comme si Maurice Donnay avait eu dessein de proposer une version nouvelle, avec glossaire et notes, à la sévérité des érudits.

Mais Jules Lemaître ne bouda pas son plaisir, et il écrivit fort clairement : « J'aime cette fantaisie au miel attique, où craquent des grains de poivre parisien. »

Le public fut de son avis : en quelques mois le triomphe de *Lysistrata* apportait au débutant la fortune et la célébrité.

Cependant, malgré l'approbation et la louange de Jules Lemaître, les critiques adressées à son œuvre avaient fait sur l'esprit de l'auteur une impression assez vive. Il décida de renvoyer dans la coulisse les cent plus belles filles de Paris, de répudier l'esprit du Chat-Noir, et de composer une vraie comédie, une peinture de mœurs modernes. Ce fut *Pension de famille* qui fut jouée deux ans plus tard.

Les conseils donnés par la critique à ce trop docile débutant produisirent leur effet ordinaire : la pièce s'effondra.

Ce fut pour l'auteur une grande déception, et qui laissa dans cette âme sensible une blessure secrète : trente et un ans plus tard, il voulut refaire cette *Pension de famille* sous le titre *Un homme léger*. Le succès n'en fut pas plus grand. Admirons au passage la mesure et la prudence de ce Parisien raffiné : il devait rencontrer deux échecs dans sa carrière, mais il eut le tact et l'adresse de les mériter avec la même comédie.

Après avoir salué ce double début, nous n'allons

pas suivre pas à pas la brillante carrière de Maurice Donnay.

Pour lui rendre pleine justice, il est nécessaire de la dépasser dans le temps; et puisque nous avons le triste avantage de savoir que son œuvre est terminée, nous la regarderons dans son ensemble, comme nous pourrions le faire pour Marivaux ou Beaumarchais, et du haut de cette tribune, qui reste le premier tribunal littéraire du monde, nous parlerons de lui comme d'un classique. Et parce que son œuvre est toujours vivante, il nous sera permis de dire ses faiblesses, et de parler d'abord de son pire, qui serait aujourd'hui notre meilleur.

Maurice Donnay a composé deux comédies d'idées, deux pièces sociales. La première, c'est *La Clairière,* écrite avec la collaboration du généreux Lucien Descaves.

L'idée qui supporte la pièce nous est exposée au moyen d'une histoire très simple.

Il s'agit d'un groupe d'honnêtes gens qui essaient loyalement de vivre ensemble selon la célèbre devise : « Liberté, Egalité, Fraternité. » Ils n'y réussissent pas mieux que nous et sont forcés, finalement, de se séparer, à cause de l'imperfection – d'ailleurs bien connue – de la nature humaine.

La pièce obtint un grand succès d'estime, mais il ne semble pas que le public l'ait longtemps soutenue de sa présence.

La seconde pièce d'idées s'appelle *Les Eclaireuses.*

C'est une comédie de grande envergure, très habilement faite, écrite avec beaucoup de verve. Mais elle traite du féminisme.

Nous voyons sur la scène vingt-deux personnages. Ils discutent fort spirituellement à propos des dimensions du crâne de la femme comparé à celui de l'homme, et font appel à la formule de Dubois qui permet, paraît-il, de calculer le poids d'un cerveau sur pied. Ils établissent aussi le compte des inventions dues à nos compagnes, ils s'étonnent, en citant le jurisconsulte Gaius, que la femme mariée soit en tutelle.

Ces questions nous semblent fort intéressantes, mais elles n'ont aucune valeur dramatique. D'autre part, les revendications des principaux personnages ont été satisfaites depuis cette époque, et l'histoire des suffragettes n'a plus qu'un intérêt documentaire. C'est pourquoi la pièce de Maurice Donnay, qui a certainement aidé la cause du féminisme, est morte de sa réussite, comme le frelon du vol nuptial; ainsi *Les Avariés,* de l'admirable Brieux, se sont évanouis dans la coulisse à la première piqûre d'arsénobenzol.

D'autre part, dans les pièces d'idées, les personnages ne sont jamais très vivants. La thèse semble les conduire et leur imposer, à point nommé, leurs actions, et parfois leurs sentiments. C'est là le danger du théâtre démonstratif. Il peut fournir d'excellentes démonstrations, mais il le fait, en général, devant des fauteuils vides, parce que le théâtre n'est pas un cours du soir.

Disons tout de suite que *La Clairière* et *Les Eclaireuses* ne tiennent pas une grande place dans l'œuvre de Maurice Donnay, et venons-en aux comédies de mœurs.

Voici en quels termes on le louait au lendemain de sa comédie *Paraître,* en avril 1906 :

« Dans ses premières pièces, avec ce mélange de blague parisienne et de pitié humaine qui est la marque personnelle de son talent, il se contentait de peindre les conflits, les contradictions, et les amertumes de l'amour. Peu à peu, le champ de son observation s'est élargi; il s'est mis à étudier notre société moderne et les formes nouvelles qu'elle impose aux travers, aux vices, aux passions qui sont l'apanage éternel de l'Humanité. »

Nous ne serons pas tout à fait de l'avis de ce critique qui, en somme, félicite Maurice Donnay d'avoir momentanément abandonné les grands thèmes pour écrire des comédies d'actualité.

D'ailleurs, ces mêmes critiques, après avoir dit tout l'agrément de l'œuvre nouvelle, après avoir admiré, une fois de plus, la verve et la grâce de l'auteur, firent d'assez sérieuses réserves.

Paul Souday nous dit :

« Il est certain que *Paraître* n'est pas une pièce rigoureusement composée. Il n'y a pas un ou deux personnages principaux : il y en a sept ou huit. »

C'est que le sujet de la pièce, c'est *Paraître* et qu'un infinitif n'est pas un vrai sujet.

Comme dans les pièces d'idées, on sent que l'auteur n'est point parti d'un personnage vivant, mais qu'il a eu le dessein de mettre à la scène un travers particulier de son époque.

Ainsi l'action dramatique n'est point née des personnages eux-mêmes; ce sont les personnages que l'auteur a créés de toutes pièces pour illustrer son action : et nous savons qu'une illustration ne peut prétendre au rang d'un tableau de maître.

C'est pourquoi *La Clairière, Les Eclaireuses, Paraître, L'Affranchie, La Chasse à l'homme,* qui auraient pourtant suffi à la gloire d'un auteur dramatique de premier rang, ne sont pas les œuvres maîtresses de Maurice Donnay.

Voici maintenant les œuvres qui ne veulent rien prouver, qui n'ont aucune ambition d'aucune sorte, et qui semblent avoir été écrites, pour le plaisir, par le plus spirituel des poètes français.

Nous avons déjà parlé de *Lysistrata*.

Nous ne retrouverons pas cette vigueur dans le comique ni cette verdeur dans *Le Mariage de Télémaque,* qu'il écrivit avec la collaboration de Jules Lemaître.

Il semble même qu'il soit possible d'en critiquer la trop parfaite élégance. Plutôt qu'un ouvrage populaire, c'est un divertissement de lettrés.

Mais la vitesse de l'action, sa simplicité classique, le charme et l'aisance de la langue font, de cette comédie à musique, le chef-d'œuvre de la comédie bouffe, et la seule peut-être que l'on puisse comparer à l'*Amphitryon* de Molière.

Voici maintenant *Education de prince*.

L'auteur nous a dit lui-même que ce n'était qu'une fantaisie, et qu'il l'avait écrite pour se reposer, après *La Clairière,* ouvrage sérieux.

Notons cependant que cette fantaisie, il l'écrivit d'abord en 1893, pour le Théâtre des Variétés.

La critique lui donna ses louanges, et le public lui fit un grand succès.

Cependant, six ans plus tard, Maurice Donnay, pendant une courte retraite à la campagne, écrivit à nouveau la pièce tout entière. Pourquoi? Il nous l'a dit lui-même : « Parce que cela me plaisait », et il ajoute : « C'est ma pièce favorite. »

Cette confidence vaut qu'on s'y arrête, car Donnay était un excellent critique de soi-même, et si nous ne sommes pas tout à fait persuadés que cette comédie soit sa plus haute réussite, il nous semble

184

pourtant que cette *Education de prince* n'est nullement une œuvre d'actualité, que les chefs-d'œuvre ne sont pas toujours sévères, ni même sérieux, et que cette « fantaisie » est l'un des plus durables titres de gloire de notre auteur.

Voici un jugement qui a déjà quarante ans, et qui fait honneur au talent de M. Camille de Sainte-Croix :

« Il viendra peut-être un moment où le langage de ces jolies scènes ne sera plus le langage du jour; mais alors, au lieu de se montrer fanées, fripées, mornes, comme nous apparaissent certains succès artificiels, on leur trouvera un autre charme, non moins précieux, d'évocations justes, et de peinture d'époque... C'est l'une de ces comédies qui ne passent pas, parce que sous leur vernis moderne, elles sont avant tout des comédies de caractères, solides, naturelles, et qu'elles contiennent des idées et des pensées sous la légèreté des mots. »

Voici enfin les œuvres les plus nobles et les plus solides de son théâtre, et qui sont aussi les plus remarquables de l'art dramatique, dans la première moitié de notre siècle.

Le Retour de Jérusalem est une vraie pièce de théâtre.

Il semble que l'auteur l'ait vécue lui-même au temps de sa jeunesse. Il nous a laissé entendre, dans ses Mémoires, qu'il avait eu une sorte de roman avec une jeune femme israélite : c'est cette passion qu'il a mise en scène, avec beaucoup de tendresse, d'esprit et de tact : ce sont ces qualités rares que nous retrouverons dans *Les Oiseaux de passage,* qu'il écrivit plus tard avec la collaboration de Lucien

Descaves, et ce n'est pas sans raison que nous parlerons de ces deux pièces en même temps.

Ces *Oiseaux de passage,* ce sont des Russes, deux femmes et un homme. Ce sont des personnages extrêmement mystérieux et attachants, comme tous les Russes, et sous nos yeux ils sacrifient leur bonheur personnel à la cause sacrée qu'ils défendent. Cependant, la pièce n'a aucune couleur politique. Les auteurs ne nous disent point s'ils approuvent cette cause ou s'ils la trouvent condamnable : ils ne l'ont même pas exposée.

Nous avons dit tout à l'heure, à propos de *La Clairière* ou des *Eclaireuses*, que la thèse semblait conduire les personnages et que l'œuvre avait un but démonstratif.

Ici, rien de pareil. Lucien Descaves et Maurice Donnay sont restés dans leur rôle d'auteurs dramatiques, qui est de peindre des personnages, avec leur caractère, leur tempérament, leurs passions.

Ils y ont si bien réussi que, d'une part, ces Russes ont reçu d'eux une vie hallucinante; l'action naît de leur vie même; l'œuvre n'a d'autre cause ni d'autre but qu'elle-même; et, d'autre part, cette pièce, qui annonce l'immense révolution russe, pourrait être jouée aujourd'hui sous tous les régimes, et dans tous les pays.

De même, on ne peut dire que *Le Retour de Jérusalem* soit une pièce antisémite, ni prosémite. L'auteur a peint des personnages, il a noté avec une impartialité scrupuleuse leurs actions et leurs réactions. L'œuvre ne contient aucune théorie, aucun panégyrique, aucune critique de parti pris; ce n'est qu'une pièce de théâtre, spirituelle, brillante, tendre et profonde.

Un troisième chef-d'œuvre, c'est *L'Autre Danger.*

Il est très étonnant de constater que cette comédie

fut jouée en 1902, et sur la scène de la Comédie-Française.

Il s'agit, en effet, d'une bourgeoise qui a un amant, ce qui n'est pas très extraordinaire.

Mais cette bourgeoise a aussi une fille de dix-huit ans.

L'amant, dont la délicatesse n'est pas extrême, se fait aimer de la jeune personne et donne son congé à la mère éperdue. Il va se retirer du jeu. Il est d'ailleurs d'une mauvaise foi parfaite, car il sait que la jeune fille l'adore, et qu'on le rappellera.

En effet, l'innocente tombe malade, sa vie même est en danger. La mère, qui a tout compris, offre la main de sa fille à son amant.

Cette situation, Maurice Donnay l'a traitée sans ménagements et sans fausse pudeur, mais avec beaucoup de tendresse, d'émotion vraie et une très noble pitié.

Il nous a montré que des actions basses et misérables peuvent être le résultat de sentiments purs et généreux.

Cette mère coupable, qui sacrifie son dernier amour pour le bonheur de sa fille, qui lui sacrifie en même temps sa pudeur, sa délicatesse de femme et qui accepte une situation honteuse qu'elle devra longuement subir en souriant, cette mère est, par moments, une véritable héroïne; elle nous fait penser à Phèdre, et son pitoyable courage nous émeut profondément.

Enfin, voici *Amants*.

La destinée des auteurs dramatiques est bien singulière. Tandis que le génie du romancier, du poète ou du philosophe se complète, s'enrichit et s'affirme à mesure que s'éloigne la jeunesse, il semble que l'auteur dramatique-né puisse donner sa mesure dès ses débuts.

Son chef-d'œuvre n'est que rarement sa première pièce, comme ce fut le cas de Dumas avec *La Dame aux camélias,* mais souvent la troisième ou la quatrième. Ainsi, *Œdipe roi, Le Cid, Andromaque, Cyrano, Amants.*

Il est remarquable – et d'ailleurs logique – que ces chefs-d'œuvre aient comme un air de famille.

Ils furent écrits dans l'enthousiasme de la jeunesse, au moment où leurs auteurs, ayant déjà affronté le public une ou deux fois, commençaient à deviner les lois de l'art dramatique, mais n'en connaissaient pas encore les ficelles, au moment même où ces jeunes hommes atteignaient l'âge des plus belles et des plus généreuses passions.

C'est dans les années qui suivent la trentaine que les femmes tiennent la plus grande place dans notre vie : nous les connaissons alors assez bien pour les adorer, assez mal pour les idéaliser; et c'est à ce moment qu'une sorte de poésie naturelle, peut-être plus perspicace et plus sûre que l'intelligence, vient donner au génie de l'écrivain son ampleur et son éclat.

Ces chefs-d'œuvre de jeunesse sont presque toujours écrits contre les règles, jamais contre les lois; contre le bon sens, la bienséance, le conformisme, mais non pas contre la raison; presque toujours réalisés par hasard, sans grande recherche dans le plan ni dans le style. Au moment où l'auteur n'y songeait guère, des œuvres éclatent brusquement, comme les orages des tropiques. Elles jaillissent du cœur d'un jeune homme, et font fleurir le cœur des femmes qui n'ont pas besoin de rien comprendre pour tout savoir. Ces œuvres montrent à la fois la sûreté de l'instinct et l'heureuse maladresse du génie naissant; elles paraissent le plus souvent sans raison valable, c'est-à-dire par des causes éphémères, très indignes de leurs durables effets. Ce sont des improvisations définitives, les enfants naturels de l'art dramatique, qui n'eurent droit à aucun héritage, mais qui auront des héritiers.

Ainsi Maurice Donnay nous a dit pourquoi il écrivit *Amants*.

Mme Sarah Bernhardt, directrice de la Renaissance, devait partir pour une longue tournée. Lucien Guitry vint dire à son ami Maurice que ce théâtre allait rester fermé pendant un an et qu'il y avait une place à prendre.

C'est pour faire cet intérim et pour « profiter » de l' « occasion » que Maurice Donnay écrivit en trois semaines son chef-d'œuvre de jeunesse, qui est peut-être le chef-d'œuvre de toute sa vie, et certainement un chef-d'œuvre tout court.

Le thème en est d'une simplicité merveilleuse.

Une jeune femme du demi-monde, mais qui vit comme une bourgeoise honnête, rencontre un homme de trente-cinq ans, un blasé. C'est le coup de foudre. Notons en passant que dans tous les chefs-d'œuvre de jeunesse, l'homme « qui a vécu » a trente-cinq ans, et que le vieillard, comme Arnolphe, le vénérable père Duval, ou le comte de Ruyseux, roule déjà vers la tombe sur la pente de la cinquantaine.

Après quelques hésitations, les deux amants s'enfuient ensemble, sans penser à la douleur des autres, parce que leur amour doit être éternel. Ils vont, comme de juste, sur le bord des lacs italiens, bercer leur passion mutuelle aux romances des bateliers.

Et puis, la vie les rappelle.

Elle pense à sa fille, à son amant, ce bon vieillard qui est presque un mari.

Après de grands cris de désespoir, ils se séparent.

Un an plus tard, une maîtresse de maison distraite – ou malicieuse – les invite à la même soirée. Ils vont se retrouver face à face... Tous les invités attendent avec une certaine inquiétude un peu sadique la scène pathétique qui ne peut manquer d'avoir lieu.

Ils se rencontrent, en effet; ils n'échangent que des paroles banales, et ils annoncent, avec un calme qui n'est pas simulé, qu'ils vont – chacun de leur côté – se marier.

La moralité de la pièce, c'est Donnay qui a pris soin de la résumer dans cette phrase triste et gaie : « Si l'on mourait de toutes les aventures d'amour, il n'y aurait plus personne pour les raconter. »

Le succès fut très grand, et la critique reconnut de bonne grâce qu'il s'agissait d'une œuvre exceptionnelle. Jules Lemaître, qui avait pourtant le goût difficile, compara la pièce à *Bérénice*. C'était un bien grand éloge; mais aujourd'hui encore, il ne nous semble pas immérité.

Certes, nous ne trouvons pas dans *Amants* les grands intérêts politiques qui sont le ressort de la tragédie de Racine. Mais nous y entendons la voix de la passion et de la tendresse racinienne, et, tandis que le poète tragique nous laisse sur l'impression d'un irréparable désespoir, Maurice Donnay, dans un cinquième acte qui contient le secret de l'auteur, nous avoue que cette douleur n'est pas éternelle, que l'amour n'est que rarement une passion funeste et que le temps suffit bien souvent à calmer les orages du cœur et des sens. Mais il nous le dit avec un sourire si étrange, et même si mystérieux, qu'on ne peut décider si son dénouement, optimiste en apparence, n'est pas plus amer que celui de Racine.

D'autre part, l'intrigue se déroule dans un milieu

très particulier. C'est un demi-monde si correct et si charmant que ces courtisanes feraient aujourd'hui figure d'honnêtes femmes. Elles élèvent leurs enfants avec ferveur, elles rougissent de tromper leurs amants, elles chassent une femme de chambre qui a eu des bontés pour le jardinier. Dans un décor de bon goût, mais vieillot, nous entendons parler d'hommes d'affaires redoutables, qui se suicident pour une traite impayée... (On frémit en pensant aux ravages que ferait dans les bureaux d'aujourd'hui l'exercice d'une aussi funeste pratique.) Ainsi l'auteur nous a laissé un tableau d'une grande délicatesse de tons qui représente une époque généreuse, souriante, spirituelle, qui ne reviendra peut-être jamais.

Nous avons dit tout à l'heure que les comédies de mœurs n'étaient pas les œuvres les plus considérables de notre auteur. Nous disons maintenant qu'il fut un peintre inégalé des mœurs de son temps : mais les pièces qui nous ont laissé une image vivante de cette époque ne sont pas celles qui l'ont expressément décrite. C'est dans *Education de prince,* dans *Georgette Lemonnier,* dans *L'Escalade,* dans *L'Autre Danger,* dans *Amants,* que nous retrouvons la société charmante qui précéda le temps des massacres; car, occupé à peindre les sentiments éternels, il les a peints de la couleur du temps, et il a créé, comme sans y songer, des personnages de son époque et de son pays. Et parce que cette peinture n'était pas son but principal, elle est merveilleusement et librement réussie. On peut dire que les grandes œuvres de Maurice Donnay sont des tragédies bourgeoises dénouées en comédies, et qu'elles sont en même temps d'authentiques chefs-d'œuvre de la comédie de mœurs.

Ici un pragmatiste pourrait dire : « Vous proclamez la grandeur et l'excellence de ces œuvres, mais on ne les joue pas très souvent. »

On ne les joue même jamais.

Nous expliquerons cet abandon momentané par l'état actuel de notre Comédie-Française, dont il fut si longtemps l'auteur attitré. La noble maison, en effet, a tenté de se reproduire par dédoublement, comme l'hydre marine. Cette parturition est longue et douloureuse. Il semble qu'elle lui ôte momentanément le pouvoir de servir l'art dramatique français. Mais nous savons qu'il ne s'agit que d'une crise, et que la Comédie reprendra bientôt sa place, qui est la première.

Pour les autres théâtres de la capitale, écrasés de taxes et d'impôts, ils n'ont plus le moyen de porter à la scène les pièces qui exigent la présence d'un grand nombre de comédiens.

Nos directeurs en sont à blâmer le génie d'Eschyle qui inventa le second personnage, et à maudire Sophocle qui eut l'idée du troisième rôle; et ils rêvent de ces dramaturges économes qui écrivaient, en l'an 600 avant Jésus-Christ, des pièces où un seul héros, sans aucun changement de costume, assurait la représentation dans un seul décor.

Or, les pièces de Donnay naquirent à une époque heureuse et généreuse : qu'il me soit permis de citer des chiffres parce qu'ils sont assez surprenants.

Vers 1900, la caissière des Variétés remettait chaque soir, à son directeur charmé, un petit sac de toile grise, alourdi par trois ou quatre cents pièces d'or. Aujourd'hui, dans des théâtres de premier rang, la recette vraie, en cas de succès, ne dépasse pas la valeur vénale de quarante fauteuils d'autrefois. Il est donc impossible de remettre à la scène *Lysistrata, Paraître,* ou même *L'Autre Danger.*

De plus, en dehors de cette question d'argent, méprisable mais inéluctable, une autre raison suffirait peut-être à expliquer l'injuste oubli de ce répertoire de chefs-d'œuvre; c'est que Maurice Donnay subit l'éclipse fatale qui obscurcit toutes les gloires littéraires au lendemain, et souvent même à la veille, de la mort de l'écrivain. Cette éclipse dure une vingtaine d'années. Elle est explicable par la raison que l'œuvre n'est déjà plus d'actualité, sans être encore assez ancienne pour monter au rang des classiques.

Par bonheur, un art nouveau est né : l'art cinématographique.

Certes, ce n'est qu'un art mineur : les machines et les procédés qu'il emploie ne sont que de précieux outils et de sensibles réactions chimiques. Il ne peut pas créer des œuvres, mais il peut exprimer, par une technique dont la perfection touche au miracle, les œuvres, anciennes ou nouvelles, du romancier, du compositeur, du dramaturge, c'est-à-dire les œuvres des artistes créateurs.

Bien entendu, les personnes qui s'occupent de cinéma, et qui se nomment entre elles « cinéastes », ont commencé par nier formellement que le film, même parlant, eût besoin de l'art dramatique.

Un grand nombre de ces cinéastes étaient de bonne foi, puisqu'ils ignoraient jusqu'à l'existence de cet art majeur. D'autres étaient moins sincères. On aurait pu croire qu'ils voulaient écarter les écrivains d'un moyen de diffusion riche et puissant, afin d'en garder la gloire et les profits pour eux-mêmes; ils fondaient ouvertement leur prétention sur la possession de leurs outils, que, par malice ou par ignorance, ils considéraient comme des artisans créateurs.

D'autres enfin – et c'étaient en général des écriveurs dont l'art dramatique n'avait pas voulu – assignaient au cinéma les limites qu'ils savaient ne pas pouvoir dépasser.

C'est pourquoi, au lieu de faire appel aux véritables écrivains, ils tentèrent, par tous les moyens, de les écarter des studios.

Cependant, Maurice Donnay, tout en roulant des boulettes, et souriant au coin du bon feu, suivait avec un très vif intérêt les premiers pas du nouvel art : en effet, c'est en 1891 qu'il avait écrit deux longues œuvres dramatiques, *Phryné* et *Ailleurs,* jouées, avec un très grand succès, non pas sur la scène, mais sur l'écran du Théâtre d'Ombres, au Chat-Noir.

Voici la description qu'il nous a faite de ces représentations :

« On était dans le train de représenter sur le théâtre d'ombres de véritables pièces.

« Tandis que les tableaux, paysages, personnages, multitudes, paraissaient sur l'écran, debout à côté du piano d'accompagnement, un récitant disait le texte.

« Dans un mètre carré de toile lumineuse, blanches aurores sur des montagnes roses, couchers de soleil dans des ciels de topaze et de cuivre, bleus clairs de lune sur une mer doucement agitée, Henri Rivière a fait tenir les plus grands paysages... »

Il est bien évident, messieurs, que les représentations de ce théâtre, suivies par les meilleurs poètes et les plus grands critiques de ce temps, ne furent rien d'autre que la préfiguration, et sans doute l'origine, du cinéma parlant en couleurs, qui vient de faire, en quelques années, la conquête du monde.

Mais Maurice Donnay, dès qu'il avait connu le vrai théâtre, avait abandonné le théâtre d'ombres;

c'était un art infirme, dont le mouvement n'était qu'une suite d'immobilités, et dont le dialogue n'était qu'un monologue.

Le film muet ne l'attira guère. Il aimait trop le verbe, et il croyait, comme la Bible, que le verbe est au commencement de tout.

Mais, en 1937, au moment où le film parlant, rassasié d'inepties, réclamait une nourriture plus solide, un producteur intelligent découvrit la rue de Florence, et Maurice Donnay, qui l'attendait paisiblement, lui confia son œuvre préférée : *Education de prince*.

Il est certain que, selon l'usage de cette époque, l'œuvre du maître fut déformée, sous prétexte d'adaptation aux règles d'un art nouveau, et que l'auteur protesta avec sa vivacité coutumière contre un pareil traitement.

Les techniciens lui répondirent qu'un académicien ne pouvait rien connaître au cinéma, que ses plaintes étaient impertinentes et qu'ils avaient fait de leur mieux. Je crois qu'ils étaient sincères. Toutefois, malgré leurs efforts et leur parfaite bonne volonté, il resta dans le film quelques parties de l'œuvre de Maurice Donnay. Les chefs-d'œuvre ont la vie dure et celui-ci, malgré les arrangements, eut un grand succès.

Ce fut, je n'hésite pas à le dire, un bienfait pour l'auteur et pour le cinéma français.

Tout d'abord, *Education de prince* n'eût jamais été représenté sur la scène dans les infimes bourgades où le cinéma envoie ses petites boîtes rondes, qui contiennent une troupe de premier plan, des décors de grand luxe et un orchestre de cent musiciens. S'il faut encore citer des chiffres, je dirai qu'en cinquante ans aucune des œuvres du grand écrivain n'a été représentée plus de cinq cents fois sur la scène, tandis que le film *Education de prince* a dépassé sa vingt millième projection.

De plus, je le dis à voix basse, mais avec une grande joie, nous verrons bientôt sur les écrans son chef-d'œuvre, *Amants*. Non pas le film américain qui vient de lui emprunter ce titre, mais la pièce même de Maurice Donnay. J'ajoute que les producteurs d'aujourd'hui, instruits par l'expérience, n'ont plus un respect superstitieux pour la technique; ils ont admis que le film parlant pouvait parler, à condition toutefois qu'il eût quelque chose à dire. Ils ont constaté qu'un chef-d'œuvre de l'art dramatique, une fois installé sur l'écran, n'en redescendait que pour changer d'interprètes; ils savent aussi que le succès du film est proportionné à la fidélité de l'adaptation, et qu'il vaut mieux choisir l'adaptateur parmi des personnes familiarisées avec la langue française et même avec l'art dramatique.

C'est ainsi qu'une école s'est formée peu à peu, l'école de Paris. Certes, elle ne se contente pas de porter à l'écran des œuvres anciennes : un art ne peut vivre que d'œuvres nouvelles, conçues et réalisées en vue d'utiliser toutes les richesses, toute la puissance du nouveau moyen d'expression. Mais il est certain que les chefs-d'œuvre anciens prendront place, l'un après l'autre, dans la cinémathèque qui se complète chaque année : c'est grâce à cette forme nouvelle du théâtre d'ombres que l'œuvre de Maurice Donnay ne subira point l'éclipse fatale. Si la scène l'oublie pendant quelques années, le cinéma lui offre, dans le monde entier, cent mille écrans pour y réfléchir les ombres et les lumières, les paroles, les sons et les musiques qui composent son œuvre.

Ainsi, à Paris ou à Béthune, à Lisbonne ou au Caire, à Shanghai ou à Québec, des milliers d'hommes et de femmes iront voir et entendre les œuvres dramatiques du grand écrivain disparu. Les uns porteront le burnous, les autres le kimono; d'autres seront vêtus de coutil blanc, et d'autres de peaux de mouton. Et les plus simples d'entre eux croiront que l'histoire est vraie, et que l'auteur est encore vivant : et ils ne se tromperont pas.

Et maintenant, messieurs, voici que cet éloge est presque terminé, et je n'ai pas encore cité un seul de ses bons mots, de ces mots d'auteur qui ont fait tant d'effet sur la scène, que les spectateurs se répétaient à la sortie, et dont la critique égayait ses comptes rendus. Eh bien, messieurs, ces bons mots, qui sont innombrables, je vous demande la permission de n'en citer aucun. Certes, ils ont fait beaucoup pour sa popularité : ils ont fait plus encore pour sa gloire.

C'est parce qu'il a écrit *Les Vieux Messieurs,* ou l'histoire infiniment triste de ce nourrisson pessimiste, que les générations nouvelles semblent n'avoir pas compris la grandeur du dramaturge que nous venons de perdre. Je pense que c'est le jour, je pense que c'est l'heure de dire clairement qui fut Maurice Donnay. Et les phrases que je vais prononcer ne sont point des paroles de circonstance, ni de ces mots que l'amitié jette comme des fleurs sur une tombe; je n'ai pas eu l'honneur de le connaître, et je parle avec l'honnêteté de l'universitaire que je suis.

Ce qui mesure la valeur d'un écrivain, ce n'est pas seulement son succès auprès des lettres et du public, c'est surtout son influence sur la littérature de l'époque suivante.

Eh bien, messieurs, il est certain qu'*Amants,* en 1895, ne ressemblait à rien, si ce n'est aux grands classiques par la pureté de sa ligne dramatique. Il est tout aussi certain qu'après cette date nous retrouverons le ton et la couleur d'*Amants* dans un grand nombre de comédies, et en particulier dans les œuvres d'Henry Bataille, dont le style a vieilli, mais dont la vigueur théâtrale reste admirable.

Il est certain qu'*Education de prince,* en 1893, ne ressemblait à rien, si ce n'est aux plus brillantes réussites de Flers et Caillavet, qui devaient triompher quinze ans plus tard. D'autre part, il ne nous paraît pas absurde de dire que le théâtre si brillant de Giraudoux doit peut-être quelque chose, ne serait-ce que son parfum, à *Lysistrata,* et au *Mariage de Télémaque;* enfin *L'Autre Danger,* œuvre d'une audace inquiétante, et *Paraître,* comédie mordante et pittoresque, ont eu, sans aucun doute, une influence sur le génie incontestable d'Edouard Bourdet.

Bataille, Flers et Caillavet, Giraudoux, Bourdet... Certes, je ne dis pas que ces vrais dramaturges avaient décidé, chacun pour son compte, d'imiter et de prolonger l'une des œuvres de Maurice Donnay. Mais je dis que les voies dans lesquelles ils se sont engagés, et qui les mènent si loin, c'est Maurice Donnay qui les avait ouvertes, et que ses œuvres vivent pour en témoigner.

On dira : « Il est bien difficile d'admettre que des écrivains aussi différents aient pu choisir le même modèle. »

C'est que ce modèle fut à chaque instant différent de lui-même.

Il nous a laissé trois comédies musicales, un opéra, trois comédies légères, six comédies de mœurs, huit comédies de caractères, six comédies dramatiques, deux revues, un grand nombre de petites œuvres que la Société des Auteurs appelle monologues, mais que je préfère nommer « poèmes », deux livres de souvenirs et une centaine de discours. Il a tout fait, car il savait tout faire, et il a laissé, dans chaque genre, souvent un chef-d'œuvre, toujours un modèle.

Ainsi nous terminerons cette trop brève étude d'une œuvre aussi considérable en affirmant qu'il fut le prince des chansonniers, parce qu'il fut le plus Parisien des Français; mais qu'il fut en même temps le plus Français des Parisiens, et qu'il restera, dans l'histoire des lettres, comme le père et la source de presque tout le théâtre contemporain.

Discours prononcé
dans la séance publique
tenue par l'Académie française
pour la réception de
M. Marcel Achard

le jeudi 3 décembre 1959

Réponse de M. Marcel Pagnol
au discours de M. Marcel Achard

Vous avez, monsieur, dès les premiers mots de votre remerciement, affirmé que notre Compagnie avait renoncé depuis longtemps à une très ancienne tradition, selon laquelle l'académicien chargé de présenter le nouvel élu l'accablait d' « une série » de « remontrances » et de « réprimandes », comme pour gâter tout plaisir qu'il pouvait ressentir le jour même de son entrée solennelle à l'Académie.

On voit bien que vous ne connaissez pas encore la douceur de nos mœurs. Non, monsieur, cette coupole n'a jamais entendu de remontrance, ni surtout de réprimande : tout au plus quelques traits ou quelques épigrammes, dont le but et l'utilité semblent vous avoir échappé.

Tout d'abord, vous admettrez certainement qu'il

convient de marquer une différence entre le panégyrique d'un prédécesseur défunt et la présentation d'un nouveau confrère bien vivant. Votre exorde, qui eût voulu que je renonçasse aux critiques traditionnelles, exprimait donc le souhait qu'à l'éloge funèbre d'André Chevrillon je répondisse par le vôtre.

Ne soyez donc pas si pressé. Il est certain qu'un jour cet hommage vous sera rendu; mais j'espère que celui qui aura le chagrin de le prononcer est encore sur les bancs du lycée : aujourd'hui, monsieur, je me conformerai donc à la tradition, dont votre plaisante timidité semble redouter la malice, mais dont le but n'est pas de gâter votre plaisir : elle se propose seulement – non point d'abattre – mais de tempérer la superbe qui pourrait défigurer votre modestie à cause des éloges que je vais, selon l'usage, vous décerner pendant plus de quarante minutes, et peut-être aussi à cause de l'idée embellie que vous semblez avoir conçue de vous-même, en vous voyant dans ce costume que vous portez aujourd'hui pour la première fois, avec une élégance discrète et une satisfaction visible. Donc, monsieur, vous aurez vos traits, car je vous vois en état de les supporter sans dommage, et peut-être avec profit.

Je commencerai donc par vous dire que le plaisir que j'ai à vous accueillir sous cette coupole n'a d'égal que mon étonnement de vous y voir. Non point que votre talent n'ait mérité ce siège, qu'il est convenu d'appeler fauteuil, mais à cause de certain épisode de votre vie passée, que je me vois forcé de rappeler aujourd'hui.

Tout le monde sait que Molière n'appartint pas à l'Académie, et l'on croit généralement (à cause des deux vers de Boileau) que notre Compagnie ne lui pardonna pas de s'être enfermé dans un sac pour y recevoir, en public, des coups de bâton. Or, Boileau, prince des critiques, parlait avec une grande légèreté d'une pièce qu'il n'avait certainement pas vue, car Molière, dans *Les Fourberies,* n'a jamais joué le rôle de Géronte; il jouait Scapin, et ces coups de bâton, c'était lui qui les donnait : exercice, en somme, honorable, et dans lequel excellèrent les grands seigneurs. Ce que l'Académie ne pardonna pas à Molière, ce fut tout simplement d'avoir fait le métier de comédien.

Eh bien, monsieur, je regrette d'avoir à rappeler ici que vous êtes monté vous-même sur les tréteaux. Non pas dans un salon, ou à la Cour, comme le fit notre Louis XIV, par simple divertissement, mais sur un théâtre public. Et quels rôles avez-vous interprétés? Cinna? Hernani? Chatterton? Point. Vous avez joué, monsieur, le rôle d'un pitre de cirque dans une pièce que vous aviez délibérément composée vous-même. J'en parle savamment, car je vous ai vu, la face enfarinée, le menton pointé, les pieds en dedans, imiter de votre mieux l'accent anglais du cirque; je vous ai vu, dis-je, soulever de grands éclats de rire et des applaudissements prolongés en recevant, monsieur, des coups de pied!...

Combien de coups de pied? quatre mille quatre cent quarante. C'est vous qui l'avez avoué à l'envoyé d'une gazette qui ne se fit point faute de l'imprimer. Et des coups de pied où? Au Théâtre de l'Atelier, devant une foule chaque soir renouvelée.

Votre cas était donc beaucoup plus grave que celui de Molière : vous voilà pourtant parmi nous, et je vais vous dire pourquoi.

Tout d'abord, l'Académie a bien voulu déduire de votre passif le fait que cette carrière d'histrion fut courte, malgré votre scandaleux succès personnel. D'autre part, deux mois avant qu'il n'eût été parlé de votre candidature, un éminent critique de notre génération écrivit une petite phrase d'une grande importance :

« A la première de *Voulez-vous jouer avec moi?* en 1923, on vit un auteur débutant, Marcel Achard, tenir lui-même le principal rôle de sa pièce parce qu'on n'avait pas pu trouver un interprète à meilleur marché. »

Voilà une raison des plus honorables, une raison touchante, je dirai presque pathétique, et qui a fait grand effet.

Enfin, je crois que Molière lui-même, en cette circonstance, a voté pour vous, et je vais vous dire comment.

Après sa mort, l'Académie ne tarda guère à regretter son intransigeance, mais il fallut attendre un siècle pour qu'elle avouât publiquement qu'elle se sentait diminuée par l'absence du plus grand auteur comique de tous les temps.

C'est, en effet, en 1778 que le buste de Molière fut installé dans la salle de réunion des académiciens, et afin d'éclairer ceux qui auraient pu croire à une élection posthume, ce buste fut établi sur un vers de Bernard-Joseph Saurin : « Rien ne manque à sa gloire, il manquait à la nôtre. » Ce n'est pas un très beau vers français, et ce « manquait » ne dit pas très bien ce qu'il veut dire, mais il contient un aveu sincère, et d'une franche dignité.

Ce marbre expiatoire occupe toujours une place d'honneur dans le palais de l'Institut, mais l'Académie n'est pas délivrée pour autant de son regret, je dirais presque de son remords. C'est pourquoi, si elle avait repoussé votre candidature sous le seul prétexte que, comme lui, vous avez joué la comédie, on eût pu croire qu'elle confirmait ainsi son exclusion, et d'autre part, en vous accueillant, elle vous a habilement refusé l'honneur de vous mettre dans son cas.

Après ces quelques traits préliminaires, dont vous ne semblez pas autrement affecté, il faut, monsieur, que je vous remercie et que je vous félicite : votre hommage à la mémoire d'André Chevrillon a touché tous ses amis, c'est-à-dire toute notre Compagnie.

Sur un rivage rouge de la mer bretonne, et sur les lieux mêmes où il aimait à rêver, vous avez longuement lu et médité les trente volumes de son œuvre.

De ces lectures et de ces réflexions, vous avez su tirer une vue d'ensemble et, pour tous ceux qui ne l'ont connu qu'à la fin de sa longue vie, vous avez ressuscité son errante jeunesse et sa riche maturité. Vous nous avez montré qu'après Chateaubriand et avant les Tharaud, il eut le génie de ce que l'on appelle aujourd'hui « le grand reportage », et qui est un nouveau genre littéraire. Il fut ensuite le maître incontesté des études anglaises, qui devaient avoir une si grande influence sur les écrivains et les peintres de sa génération. Il fut enfin un philosophe lyrique, et la page que vous nous avez lue nous a rappelé qu'il fut un très grand écrivain.

Vous avez dit que la qualité de son œuvre lui a épargné la popularité. Je ne suis pas certain qu'il l'eût repoussée, mais il est bien évident qu'il ne l'a jamais recherchée. Il n'a pas souhaité que ses livres fussent mis en vente dans les kiosques à journaux, sous ces couvertures coloriées que l'on appelle aujourd'hui « jaquettes » (fort heureusement pour ce mot qui était en voie de disparition), mais il était heureux de les savoir dans toutes les bibliothèques, et surtout de les voir dans les mains des étudiants : ils y sont encore, et ils y resteront.

Je crois que votre discours servira sa mémoire, car vous n'avez pas composé un banal éloge funèbre, petit ouvrage de circonstance imposé par nos usages, mais une véritable étude critique, qui pourrait être la préface des œuvres complètes du maître disparu.

C'est pourquoi j'attends avec une certaine inquiétude les éloges que ne manqueront pas de vous décerner les journaux, car je crains qu'ils ne soient assortis d'une surprise incongrue.

Vous avez dit vous-même tout à l'heure que l'auteur comique, en France, a toujours été traité fort cavalièrement : il me semble que ce n'était pas assez dire. Notre époque met facilement au premier rang le roman physiologique, la pornographie philosophique, et surtout les auteurs ennuyeux, comme si l'épaisseur de l'ennui était l'exacte mesure de la profondeur de la pensée. Le corollaire de cette erreur, c'est qu'un auteur comique ne peut être qu'un plaisantin de bonne compagnie, et qu'on n'en peut attendre rien de plus que de plaisantes bouffonneries ou des gaudrioles relevées de quelques bons mots. Vous venez de prouver le contraire : d'ailleurs, tous ceux qui vous connaissent savaient déjà que si vous n'aviez pas été capable d'écrire vos propres ouvrages, vous eussiez pu juger ceux des autres, comme vous l'avez fait aujourd'hui avec tant de clarté, de science et de sympathie.

J'ai maintenant le devoir de vous présenter à nos confrères, et de dire en peu de mots vos origines, et les principaux événements de votre vie.

Je n'ai pas eu besoin, monsieur, de faire de bien longues recherches, car il vous est arrivé de parler de vous-même en public (si bien que j'ai pu consulter le texte authentique d'une conférence de Marcel Achard sur Marcel Achard). Ces trente pages, dont on ne peut dire qu'elles soient une autocritique bien sévère, m'ont fourni, sans le moindre effort de ma

206

part, tous les renseignements qui m'étaient indispensables.

C'est cette source que je vais utiliser en me permettant toutefois de corriger certaines inexactitudes.

Vous avez dit dans cette confession publique que vous étiez né à Lyon, ce que personne n'a jamais mis en doute : et il est bien vrai que c'est de Lyon que vous êtes parti, pour venir tenter votre chance à Paris, mais une petite enquête complémentaire m'a fait découvrir, à ma grande surprise, que vous n'êtes pas né dans la grande cité de Plancus.

Vous avez vu le jour, monsieur, dans la petite ville de Sainte-Foy, sur la rive droite du Rhône.

J'y vois une première manifestation de votre chance, car si les édiles lyonnais oubliaient un jour d'inscrire votre nom sur la plaque bleue d'une rue, vous aurez du moins une chance d'obtenir, dans votre bourgade natale, une avenue bordée de marronniers, au fond de laquelle je vois, sur la place du théâtre, un buste, ou peut-être une statue : votre avenir posthume me semble donc assuré.

Maintenant je dois reconnaître que Sainte-Foy n'est pas bien loin de Lyon, c'est dans les environs de la place Bellecour que vous avez passé votre enfance et votre jeunesse.

Votre père, modeste commerçant, fut un peu inquiet, comme tous les pères du répertoire, lorsqu'il découvrit votre vocation littéraire. Cependant, il ne semble pas l'avoir bien énergiquement contrariée, si ce n'est par une tentative de vous faire entrer dans l'enseignement, ce qui n'eût pas brisé votre carrière littéraire, et il vous permit de fréquenter de jeunes Lyonnais qui avaient, eux aussi, l'ambition d'écrire. Vous avez dit, monsieur : « De toutes les villes de France, Lyon est la mieux organisée contre la poésie. »

207

Je vous crois sur parole, mais je crois aussi pouvoir dire qu'elle n'est pas organisée contre l'amitié, car vous devez beaucoup à l'affection et à la fidélité de vos amis lyonnais.

Plusieurs d'entre eux vous avaient précédé sur la route de la capitale, où ils avaient déjà conquis de petites places dans le monde des lettres : c'est l'un d'eux qui vous conseilla de venir vous joindre à leur groupe. Il s'appelait – et il s'appelle toujours – Michel Duran. Evidemment, il n'avait pas encore fait représenter ces douze comédies qui ont obtenu de brillants succès sur les Boulevards, mais il écrivait déjà dans les journaux. De temps à autre, il écrivait aussi des lettres, et voici en quels termes il vous adjurait :

« A Paris, un talent comme le tien est toujours reconnu tout de suite; c'est une question de secondes! »

C'était, avouons-le, d'un optimisme un peu exagéré. De cette exagération que les Lyonnais appellent volontiers marseillaise. Mais c'était une belle phrase d'ami, qui fait autant d'honneur à celui qui l'a écrite qu'à celui qui l'a reçue, et qui se laissa persuader.

Toutefois, les secondes lyonnaises furent encore plus longues que ne le sont – en général – les secondes marseillaises. Elles durèrent tout près de quatre ans.

Vous trouvâtes à Paris vos amis tout prêts à vous aider. Pierre Scize, qui était déjà le rédacteur en chef de *Paris-Journal*, vous ouvrit les portes du monde du théâtre.

A la vérité, il ne put vous les ouvrir toutes grandes, et il faut reconnaître que votre entrée au théâtre du Vieux-Colombier passa complètement inaperçue. En effet, vous n'y étiez ni dans la salle, ni en scène, ni dans les coulisses, ni dans les couloirs, ni dans les bureaux, ni même au contrôle : et pourtant, vous étiez là chaque soir. Votre buste – celui-là même dont on verra la reproduction à Sainte-Foy – était installé dans une niche, et n'était visible que pour les comédiens, et encore ne le regardaient-ils, d'un œil hagard, que dans ces moments de panique où leur mémoire les trahit. Vous étiez souffleur, monsieur, et fort heureux d'avoir pu pénétrer sur une scène, fût-ce à la façon du diable dans *Faust*, c'est-à-dire à travers le plancher.

Mais le très vif intérêt que vous portiez au spectacle, et aux gracieuses chevilles des comédiennes qui se reflétaient en gros plan dans vos lunettes, absorbait toute votre attention : il vous arriva souvent d'oublier de tourner les pages du manuscrit, et de souffler aux défaillants des répliques de votre invention. D'autre part, les applaudissements et les bravos qui jaillissaient parfois de votre niche parurent incongrus à l'administrateur du théâtre, qui vous pria d'aller souffler ailleurs.

C'est alors que, sur les instances de Pierre Scize, Henri Béraud, autre gloire lyonnaise, vous fit entrer au journal *L'Œuvre,* où un chef de service audacieux, et peut-être inconscient, vous confia la rédaction des commentaires sur les cours des Halles de Paris. Il ne nous reste malheureusement aucun témoignage concernant les effets de vos prophéties sur les variations de prix de la citrouille ou la raréfaction de l'aubergine, mais nous savons que vous rédigiez ces Géorgiques avec une grande conscience professionnelle, ce qui vous permettait de rester jusqu'à huit heures dans un bureau chauffé, fort occupé par la lecture des journaux du soir.

C'est à ce moment-là que j'eus le plaisir de vous rencontrer dans un déjeuner des Moins de Trente ans. Ce groupement réunissait des peintres, des écrivains, des comédiens, des journalistes, et son titre sonnait comme un défi aux oreilles des générations précédentes. Ce titre me paraît aujourd'hui bien naïf, car il eût justifié la candidature de tous les enfants des écoles maternelles, et d'autre part, il était absurde de mettre tout notre mérite dans le seul bien que nous étions assurés de perdre, et que nous avons en effet perdu depuis bien longtemps.

Malgré la richesse de vos commentaires sur le cours des Halles, vous ne faisiez pas figure de nabab, et vous avez parlé, dans une de vos comédies, des fins de mois qui durent trois semaines.

Je vous ai vu traverser sans amertume ces passages difficiles que les commerçants appellent pudiquement une « crise de trésorerie ». D'ailleurs, il faut bien reconnaître que le bon Murger et ses camarades avaient dévoré depuis bien longtemps tout le bifteck de la vache enragée, et que nous fûmes toujours en état d'entrer sans inquiétude dans des restaurants à trois francs, et même à trois francs cinquante. Bien sûr, nous y étions serrés dans une foule, et nous y apprîmes à manger les coudes collés au corps, ainsi que le recommande la théorie militaire pour la position du pas gymnastique.

Mais d'aussi bourgeoises misères ne m'autorisent pas à m'attendrir sur la dureté de vos débuts, et d'autant moins que vous aviez résolu le problème du logement d'une façon grandiose, et qui vous faisait des envieux : vous dormiez, monsieur, dans un décor de Pirandello, sur la scène du Théâtre de l'Atelier, et, afin de payer un loyer que Charles Dullin n'exigeait nullement, vous aviez coutume de balayer cette scène chaque matin. Je vous ai surpris dans cet exercice, que vous exécutiez en dansant, et vous m'expliquâtes que ce petit ballet vous avait été inspiré par le nom même de l'instrument que vous teniez entre vos mains.

Vous étiez jeune, tout vous faisait rire ou rêver; et parce que vous attendiez la chance avec une confiance naïve, elle vint vous rendre visite au siège même de votre journal.

Ce soir-là, après avoir mis un point final à une élégie sur les ravages du doryphore, vous étiez resté dans les bureaux déserts, le dos contre un radiateur, et vous lisiez, dans une chaude quiétude, la dernière édition de *L'Intransigeant*, lorsqu'une intéressante conversation frappa votre oreille.

Edmond Hue, le secrétaire de la rédaction, disait à Robert de Jouvenel :

— Je ne voudrais pas vous faire de peine, mais Brockdorff-Rantzau arrive ce soir à Versailles pour signer le traité de paix. C'est un événement considérable, et le journal n'a envoyé personne.

— Il est un peu tard pour m'en parler, s'écria M. de Jouvenel. Vous savez bien que tous les rédacteurs sont partis!

— C'est vrai, dit M. Edmond Hue, mais il reste Achard.

— Vous plaisantez? dit M. de Jouvenel.

— Ma foi, dit Edmond Hue, les plénipotentiaires ne le recevront probablement pas, mais il nous apportera quelques échos, par les garçons de bureau ou les agents de police. En tout cas, on l'aura vu là-bas, ce qui permettra d'inventer une interview...

— On l'aura vu, dit M. de Jouvenel, s'il ne se trompe pas de train, d'heure, d'hôtel, et d'ambassadeur.

— C'est là le danger, dit Edmond Hue. Mais je vais lui payer un taxi, et j'expliquerai sa mission au chauffeur.

Or, tandis que vous rouliez sur la route de Versailles, et que vous composiez le premier couplet d'une chanson, votre voiture s'arrêta soudain, car deux personnes, les bras levés, dans la lumière des phares, lui barraient le passage.

Ce monsieur et cette dame, c'étaient deux des plus célèbres journalistes du monde. Tom Topping du *New York Times* et Andrée Viollis du *Petit Parisien*. Leur voiture était en panne, et ils faisaient de l'auto-stop, bien avant l'invention de ce mot, qui n'est d'ailleurs pas encore dans notre dictionnaire. Ils vous supplièrent de les mener à Vaucresson, où ils avaient un rendez-vous d'une importance capitale. Vous ne fûtes pas fâché de leur répondre qu'il vous était malheureusement impossible de les obliger, parce que vous étiez chargé d'une mission de confiance, et que l'on vous attendait à Versailles pour recueillir quelques déclarations de M. de Brockdorff-Rantzau. Alors, Tom Topping vous révéla que le diplomate allemand, pour fuir les journalistes, n'était pas descendu à Versailles, mais à Vaucresson; que lui-même, Tom Topping du *New York Times*, connaissait le lieu de sa retraite, et qu'il avait obtenu une audience pour neuf heures précises. Sur quoi, Mme Andrée Viollis ajouta que si vous acceptiez de les transporter jusqu'au lieu du rendez-vous secret, vous n'auriez pas lieu de le regretter...

C'est ainsi que dans le hall de l'hôtel, pendant qu'ils recueillaient les confidences du plénipotentiaire, vous eûtes le temps de terminer votre chanson avant que leur reconnaissance ne vous dictât le texte de la plus retentissante interview que *L'Œuvre* eût jamais publiée.

Le lendemain matin, votre patron, M. Gustave Téry, vous fit appeler dans son bureau et s'indigna qu'on eût si longtemps réduit à ergoter sur des légumes un magnétiseur capable d'extorquer des confidences d'un intérêt mondial à un ambassadeur plénipotentiaire; il vous offrit sur-le-champ deux mille francs par mois, plus dix sous la ligne, et vous chargea de confesser les personnalités les plus marquantes du monde des lettres et des arts.

En ce temps-là, l'interview n'était pas encore le procédé le plus efficace pour ridiculiser ou compromettre les personnes assez naïves pour s'y prêter. Vous êtes allé rendre visite, avec une admiration préconçue mais sincère, à un certain nombre d'écrivains, de peintres, de comédiens, de directeurs de théâtre; vous avez rapporté leurs propos avec une élégante exactitude, vous n'avez pas divulgué leurs confidences, et quand, pour orner votre article, vous disposiez d'un certain nombre de photographies, vous n'avez jamais choisi la plus ridicule.

Cette honnêteté, éclairée par votre gentillesse naturelle, vous valut bientôt l'estime et l'amitié de personnalités importantes, au premier rang desquelles je citerai l'inoubliable Lugné-Poe, qui flairait le talent à vingt pas. Sans que vous lui eussiez rien demandé, il vous commanda une pièce en un acte : ce fut *La messe est dite*. Petite pièce, mais qui fit grand bruit à cause des huées qui accueillirent certaines répliques, et qui saluèrent longuement la chute du rideau. Charles Dullin, qui avait de l'amour-propre, supporta mal que son balayeur-poète allât faire ses fours ailleurs que chez lui, et il vous en commanda immédiatement un autre. Ce second ouvrage s'intitula *Celui qui vivait sa mort*. Je n'en ai pas encore oublié les dernières répliques.

Le roi Charles VI se penche sur son ami Gringonneur, qui agonise en scène; sans la moindre pitié, mais avec une curiosité insistante, il l'interroge : « Tu meurs. Alors, la mort, comment est-ce? Est-ce un repos? Une torture? Parle! Finalement quelle est ton impression? – Mauvaise », dit Gringonneur. Et il mourait, sans autre explication.

Cette fois, ce fut un aimable succès que la presse enregistra avec sympathie. Sur quoi, Charles Dullin vous donna le titre de « Poète de la troupe », et vous commanda une vraie pièce, une pièce en trois actes, et c'est en juillet 1923 que vous avez écrit : *Voulez-vous jouer avec moâ?* qui devait être créée le 18 décembre de la même année.

A partir de cette date, l'histoire de votre vie, c'est celle de vos œuvres, que je connais toutes, et sans doute mieux que personne. Il en est quelques-unes qui ne me déplaisent pas, d'autres que j'aime, d'autres que j'admire, et il me serait facile de dire ici tout le bien que j'en pense.

Mais comme je viens d'avouer l'amitié que je vous porte et depuis si longtemps, j'ai craint que mes éloges ne parussent inspirés par ce sentiment plutôt que par le véritable esprit critique. C'est pourquoi, au lieu d'essayer de juger moi-même vos ouvrages, j'ai cru qu'il valait mieux laisser parler les autres, c'est-à-dire les critiques dramatiques, dont les opinions auront plus de poids que la mienne. Ainsi, j'espère donner aux personnes qui me font l'honneur de m'écouter une idée exacte et sincère de la place que vous occupez sur la scène française.

A la veille de la répétition générale de *Voulez-vous jouer avec moâ?* les rumeurs ne vous étaient pas très favorables : nous étions à la grande époque des frères Fratellini, qui étaient des clowns remarquables, et que l'on ne craignait pas de comparer à Shakespeare, ce qui ne faisait d'ailleurs de mal à personne. C'est pourquoi quelques esprits chagrins commencèrent à dire qu'un jeune poète qui accrochait sa muse au char flamboyant de l'actualité faisait preuve de trop d'opportunisme, et avouait en même temps la pauvreté de son imagination.

Mais, dès la dixième réplique, Robert de Flers

donnait le signal des éclats de rire, et la soirée fut vraiment triomphale. C'était vous qui jouiez le rôle principal, comme je l'ai déjà dit : je dois reconnaître que le public des générales vous fit un double succès que la presse confirma.

Notre confrère Fernand Gregh disait :

« M. Marcel Achard a écrit une parade de clowns qui a l'agrément d'une pièce littéraire. Il a nourri sa clownerie et lui a donné un sens. Telles scènes de sa pièce sont délicieuses par l'imprévu de la drôlerie et quelquefois la profondeur abrupte des répliques. » *Nouvelles littéraires.*

Régis Gignoux proclamait que vous aviez réussi « l'une des plus belles opérations de la fantaisie moderne, d'une légèreté et d'une jeunesse radieuse ». Tandis que Fernand Vandérem, que nous considérions comme un critique redoutable, écrivait :

« C'est Marivaux, chez Médrano. »

Alfred Savoir, qui régnait alors sur le théâtre du Boulevard, voulut rassurer le public, tout en proclamant la qualité de l'ouvrage, et disait dans *Bonsoir* :

« C'est un chef-d'œuvre, mais vous rirez! »

Enfin, Paul Gordeaux donnait le ton de la soirée :

« Un directeur aux abois (Charles Dullin), engageant pour monter cette comédie son dernier billet de cent francs; les « moins de trente ans » massés dans la salle pour soutenir de leurs acclamations l'auteur, membre de leur joyeuse et bruyante association; les pontifes de la critique, désarmés par la candide audace du poète et, peu à peu, charmés par une fantaisie railleuse si généreusement répandue, entrant dans le jeu allègre, libre et cocasse de cette parade de cirque qui, de scène en scène, se muait en un petit chef-d'œuvre drôle, subtil et neuf. A minuit, la partie était triomphalement gagnée, l'Atelier était sauvé et Marcel Achard célèbre. »

Le public, le grand public, confirma le jugement de la critique unanime : la pièce fut jouée deux cents fois; c'était à cette époque un très grand succès, dont se fussent contentés Edouard Bourdet ou Robert de Flers, et vous n'aviez pas encore vingt-deux ans!

C'est alors que Louis Jouvet, qui avait quitté le Vieux-Colombier pour la Comédie des Champs-Elysées, vous commanda à son tour une pièce, et la direction de votre journal ne put pas refuser un congé de trois mois au confesseur de M. de Brockdorff-Rantzau, devenu par surcroît un auteur célèbre. C'est donc à la campagne que vous avez composé *Malbrough s'en va-t'en guerre*.

C'est à propos de cet ouvrage que vous avez écrit vous-même :

« La réussite de *Voulez-vous jouer avec moâ?* m'avait donné du métier d'auteur dramatique une idée un peu sommaire. Je me disais : " On passe trois mois à la campagne, on écrit en riant, et les critiques disent que vous avez fait un chef-d'œuvre! Je devais être assez rapidement amené à corriger cette conception. " »

Votre pièce fut assez bien accueillie par la critique, et Louis Jouvet en donna quatre-vingts représentations, ce qui était en somme honorable. Mais à cause de la brillante réussite de vos débuts, vous n'avez vu, dans ce demi-succès, qu'un demi-échec, et trente ans plus tard, vous disiez encore :

« De toutes mes pièces, c'est peut-être celle qui a fait le plus de bruit. En tombant! »

Cette blessure à votre amour-propre fut pour vous un bienfait des dieux, car, avec toute la modestie et l'application d'un débutant, vous vous êtes remis au travail et, en deux ans, vous nous avez donné trois comédies : *Je ne vous aime pas, La vie est belle,* et *La Belle Marinière.*

« Ces ouvrages, avez-vous écrit pudiquement, ont eu des fortunes diverses », – c'est-à-dire que leur succès, pourtant des plus honorables, ne put satisfaire votre ambition, qui était grande, et ne se contentait déjà plus d'une centième – et vous ajoutiez : « C'est seulement en 1929 que j'eus l'impression d'exister. »

Voici donc ce qui s'est passé en 1929.

Il y avait à cette époque une sorte de compagnie de jeunes auteurs, qui étaient presque tous des journalistes. Les uns travaillaient pour *Comœdia,* sous la direction d'André Lang, qui faisait de touchants efforts pour avoir l'air d'un homme mûr, afin d'honorer son titre de rédacteur en chef. Les autres – dont vous étiez, monsieur – s'alignaient sur les balcons de *Bonsoir,* et ils poussaient de grands cris ou des éclats de rire pour attirer l'attention des passants.

Nous n'étions pas encore bien riches.

Par bonheur, nous avions un Mécène, et ce Mécène avait notre âge, et il écrivait des comédies pour les théâtres du Boulevard... Sa fortune nous paraissait inépuisable, car il traversait, avec la sérénité d'un tank, des additions de cinq cents francs, et il mettait à notre disposition, pour nos réunions, un véritable appartement. Quand je dis véritable, je veux dire vaste, car il était l'œuvre d'un décorateur de théâtre d'avant-garde, et ne ressemblait à rien de vrai.

Sous un plafond tapissé de feuilles d'or, on voyait d'abord divers guéridons, et de petites tables très basses qui arrivaient des Arts décoratifs. Ces meubles étaient composés de coins agressifs, réunis (comme à regret) par de petits ronds, qui en formaient le centre. Au milieu, un bloc immense, un parallélépipède parfaitement plein, rendait perplexes les nouveaux venus : ils ne pouvaient deviner que c'était la table, dans laquelle étaient encastrées douze chaises : elles s'y emboîtaient si exactement que la pression atmosphérique suffisait à maintenir la cohésion de l'ensemble. Cependant, pour les extraire de leur logement, il suffisait d'un couteau de cuisine : mais quand on avait vu les sièges, on comprenait que leur créateur, soucieux avant tout de l'exactitude de leur emboîtage, n'avait jamais pensé, fût-ce une seconde, à l'usage que l'on pourrait en faire, et la raideur de leur accueil autorisait le visiteur à s'asseoir, sans façon, par terre.

C'est en ce lieu féerique que l'amour du théâtre et de la conversation nous retenait parfois jusqu'à l'aube, nous parlions de nos œuvres futures : chacun racontait en toute confiance l'intrigue de sa prochaine pièce, et celui qui avait fini d'écrire un acte le lisait à la compagnie assise en rond sur le tapis.

Nous étions tout le contraire d'une société d'admiration mutuelle. Le lecteur était souvent interrompu par des bâillements concertés, des ronflements simulés, ou des encouragements ironiques.

Alors, il demandait, sur un ton un peu sarcastique :

— Et vous qui êtes si forts, qu'est-ce que vous feriez à ma place?

On lui conseillait d'abord d'aller travailler au déchargement des wagons, ou de faire de la politique. Puis, après ces plaisanteries d'usage, chacun disait son mot, en toute sincérité. On présentait des critiques, des remèdes, des solutions. Et parfois même, l'un des railleurs allait s'asseoir devant la table monumentale, et rédigeait en hâte une ébauche de la scène qu'il proposait.

De ces cris et de ces querelles fraternelles, un certain nombre d'œuvres de cette époque sont sorties plus riches, plus claires, mieux agencées; j'en ai moi-même tiré grand profit, comme il m'est arrivé de donner d'excellents conseils. C'est ainsi que dans l'une de ces soirées j'eus l'honneur de collaborer à l'un de vos ouvrages.

Vous veniez de nous lire une pièce tendre et brillante dont il était facile de prévoir le succès, et qui reste, après trente ans, aussi jeune et aussi fraîche qu'au soir de sa mémorable répétition générale. Tandis que la larme à l'œil et le verre en main, nous disions tour à tour notre enthousiasme, je vous demandai tout à coup :

— Est-ce que tu as choisi un titre? (Car il m'arrive de vous tutoyer en d'autres lieux.)

Alors, avec la fierté qui convient à l'auteur d'une trouvaille, et dans un silence attentif, vous avez dit :

— *Au secours!*

Presque toute la compagnie admira l'originalité de ce choix, mais je me permis de dire :

— Je ne vois pas le rapport de ce titre avec ta pièce.

Vous me répondîtes, sur le ton d'un homme d'expérience qui parle à un enfant :

— Tu ne comprends donc pas que ce titre attirera

les gens? Quand on appelle au secours, tout le monde accourt!

J'eus alors le cynisme de répliquer :

– Tu te fais de grandes illusions. Quand on appelle au secours, bon nombre de gens pressent le pas, en feignant de n'avoir pas entendu; d'autres s'élancent à toute vitesse, comme par erreur, dans une autre direction. Seuls accourent quelques curieux, précédés d'ailleurs par la police, Non, ce titre ne me plaît pas. Le public aime les vainqueurs. On ne sort pas le soir après dîner, en famille, ou avec une fiancée, pour courir au secours de quelqu'un que l'on ne connaît pas.

Ce cynisme vous indigna, et vous vous étonnâtes que des propos d'une telle bassesse pussent être prononcés devant une aussi généreuse compagnie, qui vous approuva d'ailleurs par quelques huées à mon adresse : cependant, dès le lendemain, votre pièce s'appelait *Jean de la Lune*.

C'est évidemment l'une de vos œuvres majeures, et son succès fut éclatant.

Gaston de Pawlowski, dont l'audience était grande, et les jugements parfois cruels, concluait ainsi son article :

« Le rare mérite de M. Marcel Achard est de nous avoir restitué cette verve et ce dialogue comique véritable qui apparente l'auteur aux plus grands classiques d'autrefois. »

M. Pierre Brisson, qui réservait d'ordinaire sa louange à Racine ou à Molière, fut tout à coup séduit, et n'hésita pas à le dire dans son feuilleton du *Temps*.

« L'esprit de M. Marcel Achard ne peut inspirer qu'une vive amitié. Il apporte au théâtre un style libre et léger qui porte la marque la plus personnelle et la plus séduisante. Dans ses premiers ouvrages, il paraissait ignorant de la qualité vraie de sa fantaisie. Cette ingénuité d'aspect qui reste une des grâces de son talent est devenue très consciente. La comédie que nous venons d'entendre en apporte le témoignage. »

Le délicat Gérard Bauër, dans *Les Annales*, n'était pas moins élogieux :

« J'aime ces œuvres dont on rejoint aisément la rêverie qui les composa; j'aime ces personnages qui apparaissent sous les traits du quotidien en gardant encore les reflets d'une existence antérieure, celle de la songerie qui les accueillit, et leur donna lentement leur réalité; j'aime les pièces de M. Marcel Achard pour ces dons qui me sont sensibles et qui sont, à vrai dire, la poésie. »

Enfin, notre bon maître Fortunat Strowski, de l'Institut, qui avait enseigné les belles-lettres à la Sorbonne, et que la fréquentation quotidienne des classiques avait rendu difficile, expliquait fort clairement les raisons de son enthousiasme :

« Il y a des dessins, disait-il, qui semblent confus et vains, tant qu'on ne les regarde pas sous l'angle voulu. Mais dès qu'on a trouvé le point de perspective, la confusion s'évanouit et, à sa place, une fleur apparaît ou un visage vivant.

« *Jean de la Lune* est le frère de ces dessins. Un papotage délicat, des répliques telles qu'en peut écrire M. Marcel Achard, c'est le premier aspect confus; mais dès l'instant où le point de perspective nous est révélé, un drame profond et admirable nous entraîne vers le triomphe de la tendresse sans égoïsme, de l'amour sans jalousie, de la clairvoyance sans amertume et de la poésie sans parole. »

Le succès de cet ouvrage fut si grand et si durable que les critiques et échotiers commencèrent à vous appeler « le charmant auteur de *Jean de la Lune* » avec une constance si opiniâtre qu'elle finit par vous faire craindre que le tendre Jean de la Lune ne dévorât Marcel Achard.

C'est sans doute pour lutter contre cette menace, et en manière de protestation, que de 1930 à 1939, vous avez donné au théâtre six pièces nouvelles : *Mistigri*, *Domino*, *Petrus*, *La Femme en blanc*, *Le Corsaire* et *Colinette*.

Il me semble que *Domino* et *Le Corsaire* sont celles qui reçurent et qui méritèrent l'accueil le plus chaleureux.

Domino, c'est *Le Chandelier* 1931, mais son romantisme est bien loin de celui de Musset.

Devant sa Jacqueline, qui s'appelle Lorette, il ne tremble pas, il ne bégaie pas, il ne chante pas non plus. Il accepte sans sourciller une rémunération de cinq cent mille francs, et déclare que pour ce prix-là, il irait bien jusqu'à reconnaître un enfant naturel. C'est pourquoi Paul Reboux n'hésitait pas à dire :

« Dans *Domino* – pièce à laquelle décidément il convient d'attacher de l'importance dans l'histoire de l'art dramatique – l'auteur s'atteste réaliste en même temps que poète. »

Mais votre réalisme n'allait pas jusqu'à la noirceur et Maurice Martin du Gard pouvait écrire :

« M. Marcel Achard aime la vie, ne voit pas tout en noir, et n'exerce pas de représailles sur ces héros; il fait la part des choses, il sait observer ce qu'il y a de charmant, d'ailé, d'un peu drôle et d'un peu mélancolique aussi dans chacun de nous. Il y a dans tout ce qu'il fait un fond de santé bien sympathique, et les pires aventuriers qu'il engage dans son répertoire ont tous quelque chose de tendre et d'humain et un idéalisme qui n'évoque jamais rien de niais. »

Avec *Le Corsaire*, monté par Louis Jouvet, vous avez écrit un ouvrage véritablement romantique puisqu'il s'agit d'une histoire d'amour qui se poursuit à travers la réincarnation des deux personnages principaux. Ce fut aussi un beau succès, et qui charma la sévérité d'Henry Bidou :

« Dans *Le Corsaire* que M. Achard vient de donner à l'Athénée, l'auteur a assemblé sur la scène ce qu'il a pu trouver de plus irréel dans la vie : le cinéma, cette vie de fantômes éclairés et d'êtres vivants, plus chimériques encore, les pressentiments, les hantises, les ordres des morts, toute la vie trouble et profonde qui échappe à la raison; Mlle Ozeray, mal délivrée du rêve peint sur son visage, et armée des forces terribles de silence; M. Jouvet, inquiet comme un lièvre au bord d'un sillon, porte-parole d'un génie spasmodique. De tout cela, M. Achard a fait la pièce la plus séduisante. »

Puis, c'est la guerre, et pendant les tristes années de l'occupation, parce que vous n'aviez plus envie de rire, vous n'avez fait jouer qu'une pièce, *Mademoiselle de Panama*. C'est une œuvre forte et colorée et que le public apprécia; mais Jean de la Lune veillait; il se permit d'intervenir, et jusque dans les articles de la critique.

En 1946, le grand succès d'*Auprès de ma blonde* l'intimida pendant deux années entières, puis *Nous irons à Valparaiso*, une brillante comédie jouée à l'Athénée, et reprise immédiatement aux Ambassadeurs, le repoussa dans les coulisses d'où il menaçait de ressortir : mais pour le remettre à la raison, et le renvoyer à sa place, qui est au premier rang du théâtre contemporain, il fallut la triomphale création de *Patate*, qui va commencer dans quelques jours sa quatrième année de succès.

Molière, après Plaute, a mis en scène l'avarice et, de cette passion si basse, qui a été la cause de tant de tragédies et de crimes, il a fait une comédie qui touche parfois à la farce. Vous, monsieur, vous n'avez pas craint d'écrire une pièce sur une passion plus basse et plus vile encore : l'envie, mère d'une haine sordide, et qui est comme une lèpre du cœur. L'entreprise était périlleuse : c'est pourtant votre plus brillante réussite. Vous nous avez montré un personnage aigri, qui remâche sans cesse des griefs imaginaires, qui rêve de cruelles vengeances et qui réussit à réduire à merci son ennemi. Et ce personnage en somme ignoble, vous l'avez rendu si ridicule et si absurde qu'il finit par constater lui-même son ridicule et son absurdité.

La grande nouveauté de cet ouvrage, c'est que, pour la première fois peut-être, le personnage principal en est un couple d'amis et que, comme dans les grandes œuvres classiques, l'intrigue nous importe peu, et que tout l'intérêt est dans les caractères. De plus, c'est, de toutes vos pièces, celle qui révèle le plus clairement votre style et votre manière : je crois que c'est votre chef-d'œuvre, et peut-être un chef-d'œuvre tout court.

Toutes ces citations ont souligné la valeur de chacune de vos pièces : mais les critiques les avaient vues, au cours des années. De plus, ils étaient pressés par l'actualité, et ils n'ont pu porter un jugement sur l'ensemble de votre théâtre, et c'est pourquoi je me vois forcé de proposer le mien.

Et tout d'abord, vous n'êtes pas un littérateur qui a écrit des comédies, comme le firent Balzac, Flaubert ou Anatole France. Ces très grands écrivains furent péniblement déçus quand ils virent les beautés de leurs ouvrages s'effacer aux feux de la rampe, tandis que les vôtres, qui brillent si agréablement sur la scène, perdent à la lecture une partie de leur éclat : c'est là un grand mérite que je leur reconnais.

En effet, le langage du théâtre se compose d'abord d'attitudes, de gestes, d'expressions de visage et d'intonations qui précisent, qui aggravent, qui atténuent ou parfois contrarient le sens des mots. Sauf par quelques indications de jeux de scène, toujours sommaires, la partie la plus vivante d'une œuvre théâtrale n'est pas écrite et, pour un profane, le texte d'une vraie comédie est presque aussi difficile à lire que la partition d'un quatuor. C'est pourquoi tant de lecteurs se trompent sur la valeur de nos ouvrages : ils ne savent pas qu'un manuscrit de théâtre n'est qu'un projet de représentation.

Vous le savez mieux que personne, parce que vous êtes un homme de théâtre véritable : votre talent n'a pas eu à monter sur la scène, parce que c'est là qu'il est né.

Maintenant, dans quel genre peut-on classer votre œuvre?

On vous a très souvent entendu parler de Labiche, avec une admiration si chaleureuse qu'elle semblait le désigner comme votre modèle et votre maître. Il est bien vrai que l'auteur du *Chapeau de paille d'Italie* fut un maître, mais sans aucun doute ce n'est pas le vôtre.

Dans son théâtre pétillant de gaieté, fondé sur des quiproquos, des situations inextricables, et dont le comique naît souvent d'une logique qui aboutit à l'absurde, il serait bien difficile de trouver un grain de poésie. Or, c'est la poésie qui est le charme de votre œuvre et le secret de sa réussite. Une poésie légère, non pas écrite et comme surajoutée, mais qui est la source même de votre inspiration, et comme la couleur de vos personnages. Poésie parfois tendre et délicate, parfois franchement burlesque... C'est pourquoi la critique a si souvent parlé d'Ariel, et s'il fallait apparenter *Voulez-vous jouer avec moâ?* à quelque grande œuvre classique, ce n'est pas à *La Cagnotte* que je penserais, mais plutôt – je le dis à voix basse – au *Songe d'une nuit d'été.*

Certes je ne vous lance pas le pavé de l'ours, car je ne prétends pas que vous eussiez pu écrire *Hamlet* ou *Le Roi Lear*; non, vous n'êtes pas un autre Shakespeare. Je dis seulement que vous avez parfois retrouvé le ton de ses œuvres légères, telles que *Le Songe, La Mégère,* ou le *Conte d'hiver*. Ce n'est pas un petit éloge.

Un dernier mot, qui a son importance, et qui vous montrera l'élégance et la courtoisie de nos traditions; il en est une selon laquelle tous les candidats admis

226

dans notre Compagnie, dès qu'ils sont élus, l'ont été à l'unanimité.

C'est donc au nom de tous, monsieur, que j'ai eu aujourd'hui l'honneur de vous souhaiter la bienvenue parmi nous.

Nous donnons à la suite de ce texte un passage inédit que Marcel Pagnol avait supprimé de son discours.

Je pense au pavé de l'ours. Je ne prétends pas que vous eussiez pu écrire *Hamlet* ou *Le Roi Lear*; non, vous n'êtes pas un autre Shakespeare. Je dis seulement que vous avez parfois retrouvé le ton de ses œuvres légères, telles que *Le Songe d'une nuit d'été, La Mégère apprivoisée* ou le *Conte d'hiver*.

Et maintenant, de vos trente-quatre comédies dont la liste est loin d'être close, que restera-t-il?

Voilà une question bien imprudente. Les contemporains se trompent presque toujours quand ils essaient de prévoir les choix de la postérité.

Aussi bien ne l'aurais-je pas posée si je n'avais pas déjà entendu le commencement d'une réponse. Lors du premier succès de *Voulez-vous jouer avec moâ?* on aurait pu croire que l'accueil réservé à cette parade était dû pour une part à votre jeunesse : le débutant qui n'a pas encore fait naître de jalousie est souvent accueilli avec une indulgence que l'on refuse à l'auteur arrivé.

Il était aussi possible d'admettre que la vague des Fratellini vous avait grandement favorisé, enfin que la chaleureuse sympathie qui entourait Charles Dullin et sa pauvreté généreuse avaient poussé la critique à soutenir peut-être au-delà de son mérite une entreprise aussi désintéressée. Il est probable que ces facteurs jouèrent en votre faveur, mais leur action ne fut nullement déterminante.

Trente-cinq ans plus tard, Robert Dhéry reprenait votre rôle dans le petit cirque du Théâtre en Rond. Mon cher Dullin (votre ange gardien) était parti en pleine gloire. Les Fratellini avaient quitté la piste, et vous-même en plein succès n'aviez plus droit à l'indulgence. D'autre part, ces trente-cinq ans avaient rajeuni la critique et le public, la salle chaque soir était pleine de jeunes hommes, de jeunes femmes, de jeunes filles qui n'étaient pas venus là pour y retrouver des souvenirs de leur jeunesse; la plupart d'entre eux n'étaient pas encore de ce monde le soir où Crockson naquit sur la scène de l'Atelier, leur enfance avait traversé de très graves événements, d'autres façons de vivre avaient formé leur esprit, et leur sensibilité nous paraissait si différente de la nôtre qu'on pouvait en craindre la nouveauté. Or, la jeune critique et le nouveau public accueillirent votre pièce comme l'ouvrage de l'un des leurs, et il me semble que leurs éclats de rire et leurs applaudissements vous ont fait entendre ce jour-là le premier témoignage de la postérité.

Et maintenant, monsieur, puisque vous faites désormais partie de la Compagnie, je crois qu'il est de mon devoir de vous donner quelques conseils pratiques et de vous initier à nos us et coutumes, et de vous révéler les tâches qui vous attendent. Oui, monsieur, des tâches. Il en est d'ailleurs d'agréables. Il en est d'autres qui, pendant notre service militaire, portaient un autre nom. Et il vous faudra comprendre ce que parler veut dire sous les lambris de l'Institut.

La courtoisie académique est en effet si subtile que lorsqu'un membre de la Compagnie se croit obligé de prononcer une condamnation sévère, il faut une petite méditation pour comprendre qu'il ne s'agit pas d'un compliment. Ainsi, au moment de la préparation d'une élection, il vous arrivera sans doute, car vous n'êtes pas envieux, d'avancer le nom d'un ami. Si l'un de nos Sages vous dit : « Toute réflexion faite, je crois, je crois que cette candidature ne réussira pas à s'imposer, du moins pour le moment », il vous faudra comprendre que cela signifie : « Si cet individu entre à l'Académie, je n'y mettrai plus les pieds. » De même, lorsque M. le Secrétaire perpétuel dira, d'une voix dont l'agrément est amplifié par un microphone : « Messieurs, nous devons aujourd'hui désigner celui de nos membres qui conduira le deuil à la messe anniversaire de notre fondateur : le cardinal de Richelieu; il me semble que cette année, cet honneur revient de droit à M. Achard, s'il est libre le 6 décembre », ne vous y trompez pas; ces paroles aimables signifient : « M. Marcel Achard étant le dernier élu, il est désigné d'office pour cette expédition. » Quant à « s'il est libre », n'allez pas croire que cette formule vous donne le choix de la décision. Oui, il est libre, et il ira le 6 décembre écouter la messe solennelle dans la chapelle de la Sorbonne. Ce jour-là, vous aurez l'honneur de marcher à la tête d'un cortège qui comprendra le doyen et les membres les plus illustres de toutes les Facultés, vêtus de leurs robes d'universitaires, de médecins et de magistrats. Vous les conduirez à travers la cour d'honneur de l'antique Université, dont la première pierre fut posée pendant la première année d'existence de notre Académie, c'est-à-dire en 1635, dans cette nef où repose notre fondateur. Vous vous avancerez au premier rang auprès des descendants de l'illustre famille, et, tout en écoutant des chants religieux, vous penserez peut-être avec émotion à la bourgade Sainte-Foy et à la petite boutique de

M. votre père, et vous vous demanderez alors si vous étiez digne d'un si grand honneur. Mais au bout de cinq minutes, vous bénirez le tailleur qui a pris soin de capitonner la doublure de votre uniforme. Il ne poursuivait qu'un but esthétique. Il vous aura pourtant sauvé de l'angine, de la pleurésie et peut-être de la pneumonie.

En effet, comme il eût été sacrilège de marier la fonte au marbre – cette admirable chapelle n'est pas déshonorée par la présence d'un radiateur –, notre cher Georges Lecomte, qui avait le cœur bon et qui craignait que chaque année cette messe ne nous valût une élection, ne manquait jamais de mettre en garde notre délégué et lui conseillait l'usage préalable du rhum de la Martinique et le port d'invisibles lainages. Puis, après la cérémonie, il téléphonait au missionnaire pour savoir s'il en avait réchappé. Il est vrai qu'en manière de compensation, nous vous enverrons aussi à Pézenas ou à Marseille pour parler longuement au pied de la statue de Molière ou de Rostand. Ce sera naturellement en plein mois de juillet. Vous vous apercevrez alors que notre bicorne – qui vous vaudra souvent d'être appelé Monsieur l'amiral – n'est qu'une coiffure de cérémonie. Souvenez-vous alors de la mort de Mireille, et recherchez l'ombre de la statue, ce qui satisfera également la modestie et la prudence.

Je crois que ces deux exemples sont suffisants pour vous montrer que la gloire académique comporte quelques risques mineurs. Mais comme l'a dit Sénac de Meilhan, il n'y a point de gloire sans danger.

Enfin, monsieur, lorsque vous irez dîner en ville, vous devrez veiller à l'observation rigoureuse des prérogatives de l'Académie.

Pour en instruire les néophytes, Georges Lecomte les définissait ainsi : un académicien doit être placé à

230

la droite de la maîtresse de maison, à moins qu'il ne se trouve dans la société un chef d'État, un prélat ou un ambassadeur en exercice dans le pays où il exerce. Vous serez donc, si le pire en vient au pire, à la gauche de votre hôtesse, c'est-à-dire à égale distance des deux bouts de la table et presque en face du maître de maison. Vous ne rencontrerez dans ces parages que de hautes personnalités dont la conversation est riche de souvenirs presque tous dignes d'entrer dans l'histoire, quand ils n'y sont pas déjà. Cependant, vous verrez d'assez loin, aux deux bouts de la table, de petites moustaches noires, des boucles blondes, parfois même des queues de cheval. Vous entendrez des éclats de rire que vous n'aurez point provoqués et qui vous agaceront cruellement parce qu'ils vous empêcheront d'écouter tout à votre aise le récit par un témoin oculaire de la chute du ministère Combes ou de la bataille de Lullébourgaz; mais quoi, il faut bien que jeunesse se passe, et vous devez patiemment supporter que celle des autres se passe de vous.

Telles sont, monsieur, les servitudes et grandeurs académiques, du moins en ce qui concerne nos relations extérieures. Quant à l'atmosphère et à l'intérêt de nos réunions toutes portes fermées, je ne veux rien vous en dire aujourd'hui, vous aurez une trop plaisante surprise pour que je vous en prive par une indiscrétion.

Un dernier mot, qui a son importance, et qui vous montrera l'élégance et la courtoisie de nos traditions. Il en est une selon laquelle tous les candidats admis dans notre Compagnie, dès qu'ils sont élus, l'ont été à l'unanimité.

C'est donc au nom de tous, monsieur, que j'ai eu aujourd'hui l'honneur de vous souhaiter la bienvenue parmi nous.

Beaumarchais

(1971)

Ce texte a été écrit par Marcel Pagnol pour un ouvrage collectif, intitulé Le 41ᵉ Fauteuil, *dans lequel chaque académicien vivant faisait le choix d'un écrivain du passé illustre pour qui il aurait aimé voter.*

AVEC *Eugénie, Les Deux Amis, Le Barbier* et *Le Mariage de Figaro,* c'est le troisième de nos grands auteurs comiques, après Molière et Marivaux; mais, comme Molière, il n'a jamais siégé à l'Académie française. Pourtant, après *Le Barbier,* en 1775, il semble que la Compagnie aurait dû l'appeler : elle ne l'a pas fait. Pourquoi!

On pourrait dire qu'elle n'en a pas eu le temps, car treize ans plus tard la Révolution française éclatait et supprimait la Compagnie; cependant, au cours de ces treize années, il y eut vingt-huit élections. Quels étaient donc les écrivains et les personnalités qui lui furent préférés? Grâce à l'ouvrage de monsieur le duc de La Force, nous pouvons en dresser la liste.

En 1775, la Compagnie élut le duc de Duras, maréchal de France et académicien, sans avoir commandé une armée et sans avoir rien écrit, et le marquis de Chastellux, major général de Rochambeau. Il venait d'écrire *Considérations sur le sort des hommes* et *Voyage dans l'Amérique septentrionale.*

En 1776, La Harpe, auteur de tragédies fort médiocres : *Warwick, Timoléon, Pharamond, Gustave Wasa, Les Barmécides, Philoctète, Coriolan, Mélanie.*

Après avoir démontré qu'il n'avait aucun talent, il fit un cours de littérature aussi ennuyeux que ses pièces, mais il a su parler de Racine.

Le cardinal de Boisgelin, archevêque, puis l'abbé Millot qui nous a laissé de médiocres ouvrages sur l'Histoire de France et l'Histoire d'Angleterre.

Colardeau. Auteur de très pauvres tragédies : *Astarté, Caliste,* et d'une comédie, *Les Perfidies de La Motte;* enfin, il composa une lettre d'Héloïse à Abélard, et une héroïde, d'Armide à Renaud.

En 1778, Ducis, qui obtint de grands succès par ses traductions de Shakespeare; il écrivit ensuite deux tragédies : *Œdipe chez Admète* et *Abufar,* qui lui valurent l'estime des lettrés.

1780 : Le comte de Tressan, militaire et littérateur, qui publia des traductions de nos romans de chevalerie, puis du *Roland furieux* de l'Arioste; il laissa en outre un *Essai sur le fluide électrique, agent universel.*

Ensuite Lemierre, auteur de tragédies : *Hypermnestre, Guillaume Tell, La Veuve du Malabar, Barneveldt,* et de poèmes didactiques.

Target, qui défendit le cardinal de Rohan dans l'Affaire du Collier collabora à l'Edit de tolérance pour les protestants, et à la rédaction du Code civil et criminel.

Molleret qui fut un collaborateur de Diderot pour l'Encyclopédie; par la suite, c'est lui qui conserva secrètement les Archives de l'Académie pendant la Révolution.

Guy de Chabanon, auteur de tragédies oubliées et de traductions.

1781 : Chamfort. C'est de tous ces nouveaux élus le plus connu.

1782 : Condorcet. Homme politique et philosophe.

1784 : Marquis de Montesquiou-Fezensac, militaire, qui écrivit quelques poèmes et des Mémoires.

1784 : Le comte de Choiseul-Gouffier, ambassadeur et archéologue, et Bailly, qui présida si courageusement en 1789 les Etats généraux. Cet homme politique, qui était aussi un savant, fut guillotiné en 1793.

1785 : L'abbé Maury, prédicateur à la mode, célèbre par ses *Panégyriques*. Il finit cardinal.

1786 : Sedaine, écrivain agréable et auteur à succès du *Philosophe sans le savoir*.

1786 : Le comte de Guibert, écrivain militaire remarquable, qui inventa la tactique moderne.

1787 : Carloman de Rulhière, historien de la Pologne.

1788 : Vicq-d'Azyr, qui fut un célèbre médecin.

Le président de Nicolaï, haut magistrat de la Cour des Comptes.

Le Marquis de Boufflers, maréchal de camp. Il écrivit des poésies légères pour l'*Almanach des muses*.

Le marquis d'Aguesseau, juriste, avocat général du Parlement, conseiller d'Etat et pair de France.

Florian, qu'il est inutile de présenter.

1789 : Le duc d'Harcourt, maréchal de France et précepteur du Dauphin.

L'abbé Barthélemy, dont le *Voyage du jeune Anacharsis* est resté célèbre.

Ce qui est remarquable, c'est que sur vingt-huit

élus, nous avons quatorze aristocrates et trois membres du clergé. Il faut dire qu'à cette époque, la Compagnie comptait en moyenne quatorze représentants de la noblesse, et à peu près autant d'ecclésiastiques.

On peut vraiment affirmer que, si la Compagnie, à la place de Rulhière ou du marquis de Boufflers, avait élu Beaumarchais, elle n'y eût rien perdu.

Mais la gloire de Beaumarchais était fondée sur deux personnages immortels : Figaro, qui avait si clairement dit son fait à la noblesse, et Basile, chantre de la calomnie, Tartuffe plus odieux encore que celui de Molière, avait scandalisé les gens d'Eglise. Il est donc évident que l'élection de Beaumarchais eût été bien difficile; pourtant, elle n'eût pas été impossible s'il avait été académisable.

Voilà un mot qui ne figure pas dans notre dictionnaire, mais il est en bonne place dans le Larousse : pour en préciser le sens, il suffit de résumer la vie de Beaumarchais.

Pierre-Augustin Caron naquit en 1732, dans une boutique d'horloger de la rue Saint-Denis. Son père, André-Charles Caron, d'une famille rigoureusement calviniste, fut considéré comme enfant illégitime, parce que le mariage de ses parents n'avait pas été béni par l'Eglise, mais il abjura « l'hérésie calviniste » en 1721.

Le jeune Pierre-Augustin, doué d'une merveilleuse imagination et d'une intelligence rare, fut de très bonne heure un si habile horloger qu'il inventa en 1752, à l'âge de vingt ans, la montre à échappement, qui était une importante nouveauté. Un autre horloger, le sieur Lepautre, lui vole son invention. Pierre-Augustin l'attaque devant les tribunaux, et les experts de l'Académie des Sciences condamnent le plagiaire.

Nous sommes en 1753. C'est le premier procès de Beaumarchais.

Il apprend ensuite la guitare, puis la harpe, et il commence par perfectionner le mécanisme des pédales de cet instrument. Il en joue d'ailleurs si bien, qu'il est nommé professeur de Mesdames, les filles de Louis XV.

A la Cour il fait la connaissance d'un « contrôleur de la bouche », c'est-à-dire un « contrôleur clerc d'office de la Maison du roi », le sieur Francquet. Il lui achète sa charge, moyennant une rente viagère. Le sieur Francquet est vieux, sa femme a trente ans.

Le mari meurt et la rente viagère s'éteint avec lui. Sa veuve hérite d'une assez jolie fortune : Pierre-Augustin Caron, qui a six ans de moins qu'elle et qui était déjà son amant, l'épouse dix ans plus tard.

On commence à dire que ce beau et brillant jeune homme a vraiment un peu trop de chance, et que le bon vieillard est mort bien à propos.

Pierre-Augustin découvre dans l'héritage de son épouse un très petit fief, si petit que l'on ne l'a jamais bien localisé. Ce fief porte le nom de Beaumarchais. Pierre-Augustin Caron s'en empare et devient Caron de Beaumarchais, au commencement de l'année 1757.

Au mois de septembre suivant, sa femme meurt en quelques jours. Parce que le jeune homme est assez fat, et d'un orgueil parfois insolent, on laisse entendre que cette seconde mort est un heureux complément de la première.

Cependant les bruits ne vont pas bien loin pour le moment et ne font pas grand tort au professeur de musique de Mesdames, qui a souvent l'honneur de donner des leçons en présence du roi.

A la Cour il recontre le grand financier Pâris-Duverney, qui est charmé par l'esprit et la vive intelligence du jeune homme : il l'initie aux affaires. Beaumarchais se révèle exceptionnellement doué, et devient très vite un grand manieur d'argent.

En quelques années, il a gagné des sommes si considérables qu'il est l'associé de son patron : ils font ensemble des affaires de grand style, comme l'achat et l'exploitation de la forêt de Chinon.

En 1764, il part pour l'Espagne, où vivent ses deux sœurs, dont l'aînée est mariée à un architecte de Madrid et la cadette fiancée à un littérateur espagnol, nommé Clavijo, qui, après avoir compromis la jeune fille, refuse de l'épouser.

Beaumarchais n'a fait ce long voyage que pour lui forcer la main. Il n'y réussira pas, mais il ruinera définitivement le traître, et il écrit férocement : « Il n'a plus qu'à se faire capucin, ou à quitter le pays. »

D'autre part, il a profité de son séjour pour faire des affaires. Il a essayé d'obtenir la concession de tout le commerce avec la Louisiane pour une compagnie française, puis il soumet au ministère espagnol un plan, selon lequel il demande qu'on lui confie le soin de « fournir de nègres » toutes les colonies espagnoles. Voilà qui nous éclaire sur la générosité de ce champion de la liberté, qui demande le titre et les pouvoirs de négrier en chef de l'Espagne!

Fort heureusement pour lui, il ne l'obtient pas, mais comme il avait apporté deux cent mille francs, il est « parvenu à se rendre maître absolu des subsistances de toutes les troupes du royaume d'Espagne, de Majorque, et de la côte d'Afrique ».

Il est d'ailleurs fort probable que cette opération ne fut possible qu'avec la collaboration de ministres convenablement « arrosés ».

Rentré en France, il fait jouer sa première pièce de théâtre *Eugénie*. Ce n'est pas un triomphe aux yeux de la critique, mais c'est un succès à Paris comme à Londres en 1767.

En 1768, il épouse Mme Lévêque, veuve d'un garde général des Menus Plaisirs, qui lui apporte une très jolie fortune et lui donne un fils.

Beaumarchais est très heureux et ses affaires vont de mieux en mieux.

Cependant Pâris-Duverney est vieux, et, comme leur association de fait n'est confirmée par aucun document, Beaumarchais demande à son ami de préciser, par un sous-seing privé, leurs positions et leurs droits respectifs.

Pâris-Duverney établit aussitôt ce document, le signe en avril 1770, et meurt le 17 juillet, c'est-à-dire trois mois plus tard.

C'est alors qu'un nouveau malheur vient frapper Beaumarchais en novembre, il est de nouveau veuf. Sa femme est morte des suites de ses secondes couches. M. de Loménie nous dit : « Les colporteurs d'infamie ne manquèrent pas de dire que ce second veuvage était fort étrange et venait à l'appui des rumeurs répandues sur le premier. »

C'est alors que les héritiers de Pâris-Duverney réclament la totalité de l'héritage. Le principal d'entre eux est de La Blache.

En réponse à leurs prétentions, Beaumarchais montre le contrat qui précise ses propres droits. La Blache refuse d'en reconnaître la validité et fait appel aux tribunaux. Il affirme que ce document est un faux, fabriqué par Beaumarchais lui-même. Un premier jugement est rendu en 1772 : le comte est débouté, Beaumarchais triomphe.

Mais M. de La Blache fait appel, et il traite Beaumarchais de « monstre achevé, une espèce venimeuse dont on doit purger la société ». Le 6 avril 1773, le premier jugement est réformé et Beaumarchais est condamné comme faussaire et voleur d'héritage.

Sur quoi, les parents de sa seconde femme, qu'il avait perdue deux ans plus tôt, l'accusent aussitôt d'avoir détourné l'héritage de leur fille, et le traînent à leur tour devant les tribunaux. Malgré les rumeurs qui redoublent, il est acquitté.

Entre-temps, le duc de Chaulnes, qui entretenait une comédienne de petite vertu, Mlle Ménard, s'aperçoit qu'elle le trompe avec Beaumarchais. Le duc, qui est à demi fou, va chez l'écrivain, annonce qu'il va le tuer, et après une terrible bagarre, Beaumarchais et ses quatre domestiques réussissent à le jeter dehors. Sur quoi, l'écrivain est arrêté et emprisonné au fort Levêque, où il restera trois mois, pour avoir manqué de respect à un duc et pair.

C'est alors qu'il commence la publication de quatre *Mémoires*, pour expliquer sa condamnation infamante à la fin du procès contre le comte de La Blache. Il accuse de vénalité le rapporteur qui a conclu contre lui, c'est-à-dire le juge Goëzman. Il affirme qu'il a versé à la femme de ce magistrat cent quinze louis d'or, pour obtenir le gain de son procès.

Lorsqu'il a perdu sa cause, cette dame lui a rendu cent louis, mais en a gardé quinze.

Parce que sa condamnation est due au seul rapport de Goëzman, Beaumarchais réclame à grands cris ces quinze louis que la dame ne peut nier avoir reçus et qui prouvent sa vénalité. Quant à l'honnête restitution des cent louis, elle est sans doute due au fait que M. de La Blache en a versé le double.

Ces mémoires, qui sont les chefs-d'œuvre d'un grand polémiste, ont un immense retentissement, car ils révèlent les mœurs judiciaires de l'époque. Un puissant mouvement d'opinion se déclenche en sa faveur; mais Goëzman, ridiculisé et déshonoré, le poursuit en justice pour diffamation. Beaumarchais est condamné au blâme, qui était une sorte d'indignité nationale, et les quatre mémoires sont condamnés au feu. Cependant, leur succès ne fait que croître, et Beaumarchais triomphant obtient que le premier jugement soit cassé : le procès est renvoyé devant le Parlement d'Aix, qui, en 1778, acquittera, réhabilitera l'écrivain aux acclamations de la foule.

C'est pendant cette période de procès et de polémique que Beaumarchais termine *Le Barbier de Séville*. Mme Campan lit la pièce au roi, qui dit : « C'est détestable! Cela ne sera jamais joué! Il faudrait détruire la Bastille! » et il interdit la première représentation.

Après d'importantes corrections, le roi l'autorise, le succès est triomphal, et la Bastille sera détruite quatorze ans plus tard...

Malgré le succès des *Mémoires* et du *Barbier*, Beaumarchais ne néglige pas ses affaires : en 1776, il arme quarante vaisseaux, et organise une vaste affaire de contrebande d'armes pour les insurgés américains. Il en tire d'énormes profits, mais sa réputation d'affairiste s'aggrave. En effet, on ne dit pas « marchand d'armes », mais « trafiquant d'armes ». Peu lui importe : il n'aime que l'argent.

En 1784, *Le Mariage de Figaro* obtient un succès tout à fait extraordinaire, et d'une grande importance politique. Louis XVI, qui s'était laissé arracher l'autorisation, comprit enfin le danger; Beaumarchais fut arrêté et conduit à Saint-Lazare : la réaction de l'opinion publique fut si violente qu'il fallut remettre l'écrivain en liberté; ce fut sans doute la première victoire de la Révolution.

En résumé, son *curriculum vitæ* est vraiment un peu chargé; il a vécu entouré de rumeurs, souvent reproduites dans les gazettes, qui l'accusaient assez clairement d'avoir empoisonné Francquet et sa première femme pour recueillir leur héritage; il en fut de même pour la seconde, dont les parents l'accusèrent, devant les tribunaux, d'avoir détourné leur part d'héritage. Il a été condamné une fois pour un faux, commis dans le but de s'approprier la moitié de l'héritage de Pâris-Duverney.

Il a été condamné une seconde fois pour tentative de corruption d'un juge, puis pour diffamation d'un magistrat.

Il est vrai que dans l'affaire de sa seconde femme, il a été acquitté.

Dans l'affaire de Pâris-Duverney, il a finalement été triomphalement acquitté. Pour la diffamation de Goëzman, il a été absout de son blâme, c'est-à-dire acquitté, pour la troisième fois.

Un acquittement n'a jamais fait de tort à personne; mais pour être élu à l'Académie, et siéger entre un duc et un cardinal, il ne faut pas avoir été acquitté trop souvent.

Il est bien vrai qu'au cours des siècles, l'Académie a élu un très grand nombre de gens de bonne compagnie qui, du point de vue littéraire, étaient parfaitement nuls, et parfois ridicules, à la place de grands écrivains qui lui eussent fait grand honneur, et qui furent relégués au quarante et unième fauteuil mais de toutes ces relégations, celle de Beaumarchais est la plus compréhensible, et la plus logiquement justifiée.

TABLE

VIE DE MARCEL PAGNOL

Marcel Pagnol est né le 28 février 1895 à Aubagne.

Son père, Joseph, né en 1869, était instituteur, et sa mère, Augustine Lansot, née en 1873, couturière.

Ils se marièrent en 1889.

1898 : naissance du Petit Paul, son frère.

1902 : naissance de Germaine, sa sœur.

C'est en 1903 que Marcel passe ses premières vacances à La Treille, non loin d'Aubagne.

1904 : son père est nommé à Marseille, où la famille s'installe.

1909 : naissance de René, le « petit frère ».

1910 : décès d'Augustine.

Marcel fera toutes ses études secondaires à Marseille, au lycée Thiers. Il les terminera par une licence ès lettres (anglais) à l'Université d'Aix-en-Provence.

Avec quelques condisciples il a fondé *Fortunio*, revue littéraire qui deviendra *Les Cahiers du Sud*.

En 1915 il est nommé professeur adjoint à Tarascon.

Après avoir enseigné dans divers établissements scolaires à Pamiers puis Aix, il sera professeur adjoint et répétiteur d'externat à Marseille, de 1920 à 1922.

En 1923 il est nommé à Paris au lycée Condorcet.

Il écrit des pièces de théâtre : *Les Marchands de gloire* (avec Paul Nivoix), puis *Jazz* qui sera son premier succès (Monte-Carlo, puis Théâtre des Arts, Paris, 1926).

Mais c'est en 1928 avec la création de *Topaze* (Variétés) qu'il devient célèbre en quelques semaines et commence véritablement sa carrière d'auteur dramatique.

Presque aussitôt ce sera *Marius* (Théâtre de Paris, 1929), autre gros succès pour lequel il a fait, pour la première fois, appel à Raimu qui sera l'inoubliable César de la Trilogie.

Raimu restera jusqu'à sa mort (1946) son ami et comédien préféré.

1931 : Sir Alexander Korda tourne *Marius* en collaboration avec Marcel Pagnol. Pour Marcel Pagnol, ce premier film coïncide avec le début du cinéma parlant et celui de sa longue carrière cinématographique, qui se terminera en 1954 avec *Les Lettres de mon moulin*.

Il aura signé 21 films entre 1931 et 1954.

En 1945 il épouse Jacqueline Bouvier à qui il confiera plusieurs rôles et notamment celui de Manon des Sources (1952).

En 1946 il est élu à l'Académie française. La même année, naissance de son fils Frédéric.

En 1955 *Judas* est créé au Théâtre de Paris.

En 1956 *Fabien* aux Bouffes Parisiens.

En 1957 publication des deux premiers tomes de *Souvenirs d'enfance* : *La Gloire de mon père* et *Le Château de ma mère*.

En 1960 : troisième volume des *Souvenirs* : *Le Temps des secrets*.

En 1963 : *L'Eau des collines* composé de *Jean de Florette* et *Manon des Sources*.

Enfin en 1964 *Le Masque de fer*.

Le 18 avril 1974 Marcel Pagnol meurt à Paris.

En 1977, publication posthume du quatrième tome des *Souvenirs d'enfance* : *Le Temps des amours*.

BIBLIOGRAPHIE

1926. *Les Marchands de gloire*. En collaboration avec Paul Nivoix, Paris, L'Illustration.

1927. *Jazz*. Pièce en 4 actes, Paris, L'Illustration. Fasquelle, 1954.

1931. *Topaze*. Pièce en 4 actes, Paris, Fasquelle.
    Marius. Pièce en 4 actes et 6 tableaux, Paris, Fasquelle.

1932. *Fanny*. Pièce en 3 actes et 4 tableaux, Paris, Fasquelle.
    Pirouettes. Paris, Fasquelle (Bibliothèque Charpentier).

1933. *Jofroi*. Film de Marcel Pagnol d'après *Jofroi de la Maussan* de Jean Giono.

1935. *Merlusse*. Texte original préparé pour l'écran, Petite Illustration, Paris, Fasquelle, 1936.

1936. *Cigalon*. Paris, Fasquelle (précédé de *Merlusse*).

1937. *César*. Comédie en deux parties et dix tableaux, Paris, Fasquelle.
    Regain. Film de Marcel Pagnol d'après le roman de Jean Giono (Collection « Les films qu'on peut lire »). Paris-Marseille, Marcel Pagnol.

1938. *La Femme du boulanger*. Film de Marcel Pagnol d'après un conte de Jean Giono, « Jean le bleu ». Paris-Marseille, Marcel Pagnol. Fasquelle, 1959.
    Le Schpountz. Collection « Les films qu'on peut lire », Paris-Marseille, Marcel Pagnol, Fasquelle, 1959.

1941. *La Fille du puisatier*. Film, Paris, Fasquelle.

1946. *Le Premier Amour*. Paris, Editions de la Renaissance. Illustrations de Pierre Lafaux.

1947. *Notes sur le rire*. Paris, Nagel.
Discours de réception à l'Académie française, le 27 mars 1947. Paris, Fasquelle.

1948. *La Belle Meunière*. Scénario et dialogues sur des mélodies de Franz Schubert (Collection « Les maîtres du cinéma »), Paris, Editions Self.

1949. *Critique des critiques*. Paris, Nagel.

1953. *Angèle*. Paris, Fasquelle.
Manon des Sources. Production de Monte-Carlo.

1954. *Trois lettres de mon moulin*. Adaptation et dialogues du film d'après l'œuvre d'Alphonse Daudet, Paris, Flammarion.

1955. *Judas*. Pièce en 5 actes, Monte-Carlo, Pastorelly.

1956. *Fabien*. Comédie en 4 actes, Paris, Théâtre 2, avenue Matignon.

1957. *Souvenirs d'enfance*. Tome I : La Gloire de mon père. Tome II : Le Château de ma mère. Monte-Carlo, Pastorelly.

1959. *Discours de réception de Marcel Achard à l'Académie française et réponse de Marcel Pagnol,* 3 décembre 1959, Paris, Firmin Didot.

1960. *Souvenirs d'enfance*. Tome III : Le Temps des secrets. Monte-Carlo, Pastorelly.

1963. *L'Eau des collines*. Tome I : Jean de Florette. Tome II : Manon des Sources, Paris, Editions de Provence.

1964. *Le Masque de fer*. Paris, Editions de Provence.

1970. *La Prière aux étoiles, Catulle, Cinématurgie de Paris, Jofroi, Naïs*. Paris, Œuvres complètes, Club de l'Honnête Homme.

1973. *Le Secret du Masque de fer*. Paris, Editions de Provence.

1977. *Le Rosier de Madame Husson, Les Secrets de Dieu*.

248

Paris, Œuvres complètes, Club de l'Honnête Homme.

1977. *Le Temps des amours*, souvenirs d'enfance, Paris, Julliard.

1981. *Confidences*. Paris, Julliard.

1984. *La Petite fille aux yeux sombres*. Paris, Julliard.

Les œuvres de Marcel Pagnol sont publiées dans la collection de poche « Fortunio » aux éditions de Fallois.

Traductions

1947. William Shakespeare, *Hamlet*. Traduction et préface de Marcel Pagnol, Paris, Nagel.

1958. Virgile, *Les Bucoliques*. Traduction en vers et notes de Marcel Pagnol, Paris, Grasset.

1970. William Shakespeare, *Le Songe d'une nuit d'été*. Paris, Œuvres complètes, Club de l'Honnête Homme.

FILMOGRAPHIE

1931 – MARIUS (réalisation A. Korda-Pagnol).
1932 – TOPAZE (réalisation Louis Gasnier).
       FANNY (réalisation Marc Allégret, supervisé par Marcel Pagnol).
1933 – JOFROI (d'après *Jofroi de la Maussan* : J. Giono).
1934 – ANGÈLE (d'après *Un de Baumugnes* : J. Giono).
1934 – L'ARTICLE 330 (d'après Courteline).
1935 – MERLUSSE.
       CIGALON.
1936 – TOPAZE (deuxième version).
       CÉSAR.
1937 – REGAIN (d'après J. Giono).
1937-1938 – LE SCHPOUNTZ.
1938 – LA FEMME DU BOULANGER (d'après J. Giono).
1940 – LA FILLE DU PUISATIER.
1941 – LA PRIÈRE AUX ÉTOILES (inachevé).
1945 – NAÏS (adaptation et dialogues d'après E. Zola, réalisation de Raymond Leboursier, supervisé par Marcel Pagnol).
1948 – LA BELLE MEUNIÈRE (couleur Roux Color).
1950 – LE ROSIER DE MADAME HUSSON (adaptation et dialogues d'après Guy de Maupassant, réalisation Jean Boyer).
1950 – TOPAZE (troisième version).
1952 – MANON DES SOURCES.
1953 – CARNAVAL (adaptation et dialogues d'après E. Mazaud, réalisation : Henri Verneuil).

1953-1954 – LES LETTRES DE MON MOULIN (d'après A. Daudet).

1967 – LE CURÉ DE CUCUGNAN (moyen métrage d'après A. Daudet).

IMPRIMÉ EN FRANCE PAR BRODARD ET TAUPIN
Usine de La Flèche (Sarthe), le 1-03-1993.
1169H-5 - N° d'Éditeur 72, dépôt légal : mars 1990.

ÉDITIONS DE FALLOIS - 22, rue La Boétie - 75008 Paris
Tél. 42.66.91.95